Pour une discipline du bonheur

du bonheur

LE COACHING

Pour une discipline du bonheur

du bonheur

LE COACHING

JULIEN RINGUETTE

LES ÉDITIONS
Quebecor

Données de catalogage avant publication (Canada)

Ringuette, Julien

Pour une discipline du bonheur: le coaching

(Collection Psychologie)

ISBN 2-7640-0454-0

1. Mentorat. 2. Autodéveloppement. 3. Leaders - Psychologie. 4. Relations humaines. I. Titre. II. Collection: Collection Psychologie (Éditions Quebecor).

BF637.C6R56 2000   158'.3   C00-940965-3

LES ÉDITIONS QUEBECOR
7, chemin Bates
Outremont (Québec)
H2V 1A6
Téléphone: (514) 270-1746

© 2000, Les Éditions Quebecor
Bibliothèque nationale du Québec
Bibliothèque nationale du Canada
ISBN 2-7640-0454-0

Éditeur: Jacques Simard
Coordonnatrice de la production: Dianne Rioux
Conception de la page couverture: Bernard Langlois
Photo de la page couverture: P. Y. Goavec/The Image Bank
Révision: Francine St-Jean
Correction d'épreuves: Claire Morasse
Infographie: Composition Monika, Québec

Nous reconnaissons l'aide financière du gouvernement du Canada par l'entremise du Programme d'Aide au Développement et l'Industrie de l'Édition pour nos activités d'édition.

PRÉFACE

Mon amitié pour Julien Ringuette remonte à plusieurs années. J'étais fasciné par sa simplicité et par son art exceptionnel de «dire les vraies choses», de gérer les vérités les plus dures sans blesser ses interlocuteurs. Je l'ai vu en certaines circonstances, devant des gens en colère, agressifs et hargneux, changer complètement le ton de la discussion et l'état d'esprit de ces personnes par son attitude calme, son écoute exceptionnelle et ses quelques questions posées avec douceur. Était-ce magie ou hasard? Non, simplement une maîtrise de l'art de la communication. En fait, j'étais tellement fasciné par sa maîtrise totale de toutes les formes de communication et de relations humaines que, appuyé par un groupe de professionnels en relations humaines, nous avons créé une firme-conseil en coaching pour les gestionnaires d'entreprise, la société Coaching dynamique de carrières inc. Et notre firme-conseil a retenu l'expertise de Julien Ringuette pour qu'il nous transmette ses techniques, ses méthodes et son processus de coaching.

Je peux aujourd'hui témoigner que son livre vous offre les plus grands «secrets» sur l'art de réussir sa vie... simplement. À notre équipe de coachs, il arrive tous les jours de rencontrer à nos bureaux des cadres supérieurs, hommes et femmes, blessés, épuisés, doutant d'eux-mêmes et qui repartent, après quatre ou cinq heures de «communication authentique» sur eux-mêmes, allégés d'un poids vieux de trente ans – le poids de leurs illusions sur la réussite, sur la performance, sur l'effort.

Nos spécialistes en coaching se réfèrent souvent aux concepts clés et aux valeurs humaines qui sont décrits et illustrés dans le présent volume. Toute notre équipe et nos clients surtout peuvent témoigner de la force de ces concepts appliqués au quotidien. Ce sont des concepts «libérateurs» de nos solitudes, de nos peurs et de nos vanités creuses, ces trois démons qui chassent le bonheur.

J'espère que le livre de Julien pourra apporter cette paix de l'âme que nous recherchons tous si désespérément aujourd'hui.

Robert Potvin, Ph.D.
Président,
Coaching dynamique de carrières inc.

AVANT-PROPOS[*]

Les présentes réflexions s'adressent aux centaines de personnes que j'ai eu l'occasion de connaître à fond et... d'aimer au cours de vingt ans de vie professionnelle en coaching.

En effet, à l'âge de trente ans, je me lançais en affaires avec l'idée d'un coaching individualisé pour les cadres et les dirigeants d'entreprises.

Aujourd'hui, je tourne mon regard en arrière et je découvre que j'ai passé des milliers d'heures merveilleuses avec eux.

Toutes ces personnes auxquelles j'ai tenté de donner mon appui, mon aide, ma bienveillance et parfois même mes idées m'ont en retour apporté infiniment plus: elles m'ont confié leurs espoirs et leurs doutes, elles m'ont accordé leur foi, leur confiance, et m'ont donné beaucoup d'amour.

Ce livre se veut la somme de mes réflexions philosophiques et sociales basées sur ces milliers d'heures d'échanges profonds, authentiques. Ces réflexions sur la vie, nos communications intrapersonnelles et interpersonnelles, la spiritualité, les rapports humains et la philosophie de la liberté personnelle sont offertes comme un cadeau à la jeunesse du monde, futurs dirigeants d'une société à bâtir que nous leur léguons dans un piètre état: une société pleine de paradoxes et endettée d'un passé trop sanglant, souvent cruel mais également rempli de certaines grandeurs et de promesses.

À la fois coach et guide de tous ceux qui m'ont confié ce qu'ils avaient de meilleur et de pire en eux, j'étais l'homme fragile et serein qui cherchait sa propre voie dans les sentiers de ceux que je guidais.

N'est-ce pas la marche douloureuse et magnifique de la vie elle-même?

---

[*] Les poèmes de cet ouvrage sont l'œuvre de l'auteur. Dans le cas contraire, la source sera indiquée.

PARTIE I

L'ÉVOLUTION
DE LA PERSONNE

REGARD
SUR LA SOCIÉTÉ ACTUELLE

À trente ans, je devenais consultant en communication organisa-tionnelle. Ayant œuvré durant cinq ans en tant que cadre dans une maison d'arrêt, appelée moins poétiquement une «prison», j'y avais appris certaines choses sur la vie et la liberté qui marqueraient à la fois ma carrière et ma vie.

Premièrement, la liberté n'a pas de prix et pourtant elle ne coûte rien, car elle est avant tout un état d'esprit.

Deuxièmement, la plus grande liberté consiste à être capable d'exprimer ce que l'on pense, ce que l'on sent et ce que l'on ressent.

Troisièmement, si la liberté est d'abord un état d'esprit, le bon-heur l'est également, puisqu'il résulte de notre liberté intérieure.

Enfin, qu'est-ce que la vie, la vraie vie, une simple vie, *libre* et *heureuse?* C'est d'abord une Vitalité Intérieure qui s'Exprime: VIE.

Au regard d'une société qui serait de plus en plus technolo-gique, mécaniste, pragmatique, opportuniste et matérialiste, je pres-sentais, en quittant le milieu carcéral dans lequel j'étais aussi détenu que les autres, que le devenir social serait «déshydratant» pour l'âme et l'esprit.

En ces années 1980, je soupçonnais que l'abondance matérielle cachait la pauvreté des cœurs, le manque de tendresse, l'effondre-ment de valeurs structurantes telles que la charité, l'humilité, l'espé-rance, la joie, la sérénité, l'entraide.

En mon cœur et en mon esprit, mon regard social se faisait pro-phétique et je concevais peu à peu l'idée de coaching pour contrer la solitude, la sécheresse, la dureté des organisations sociales et industrielles qui devenaient de plus en plus centrées sur la performance, l'efficacité et le rendement. Bref, à l'image d'une société de confort sans effort, de solitude plutôt que de sollicitude, de performance plutôt que de conscience, nos grandes sociétés se convertissaient à une vitesse fulgurante et sournoise au matérialisme dur, au pragmatisme, au mécanicisme de performance. Et tout cela, sous le couvert d'une idéologie doucereuse: mondialisation, qualité totale, recherche de l'excellence.

Deux exemples simples et récents d'absurdités illustrent, selon moi, l'aboutissement logique d'une science sans conscience. Le premier: dans un catalogue européen de vente de matériel militaire, on vantait les mérites d'un char d'assaut totalement écologique. Imaginez, imaginons, un char d'assaut écologique! Pour ajouter l'injure à l'insulte, on énonçait le plus sérieusement du monde à propos de ce jouet absurde: «[...] pour compléter votre système de défense.»

Le second exemple: la montée inquiétante des prêcheurs américains qui prétendent faire des miracles. Quel micmac! La Bible et l'argent, les miraculés, les pleurs et le théâtre médiatisé de ces puissants acteurs de la misère humaine, un spectacle aussi organisé et faux que la lutte télévisée. Et les gens en larmes, en pâmoison, y croient, ont besoin d'y croire puisqu'il faut croire en quelque chose. Les prêcheurs américains accumulent des millions et des millions de dollars, la larme à l'œil, l'alarme en éveil contre les suppôts de Satan qui osent les dénoncer et l'arme de leurs fiers-à-bras pour les protéger contre Satan.

Dans cette course au confort sans effort, à la sécurité sans sérénité, les gens veulent retrouver un sens à leur vie: l'amour, le partage, la tolérance, la simplicité.

Ma hargne contre les militaires, les militaristes, les fanatiques et les totalitaires de l'esprit étant exprimée, revenons aux années 1980.

Je concevais le coaching comme un moyen qui permettrait à un être humain de bonne volonté de retrouver compassion, bienveillance, tendresse humaine, et que ces valeurs retrouvées deviendraient la base du style de gestion de l'entrepreneur, se reflétant ainsi sur tout son entourage: ses collègues, ses subordonnés, ses clients, ses fournisseurs et ses proches.

Aujourd'hui, le coaching est devenu à la mode. Comme toute bonne idée a une «faim», elle attire les affamés et les... marchands de légumes, mais tous les légumes ne nourrissent pas de la même façon. C'est la vie!

LE MIRACLE DE LA VIE

À l'échelle incommensurable de l'Univers connu et de celui que l'on devine, quelles sont les caractéristiques communes à la vie? Tout d'abord, la vie est d'une très grande rareté dans l'Univers. Pour la vie végétale et animale, il faut de l'air, de l'eau, de la lumière. Partout où l'on peut parler de vie, les organismes vivants répondent tous à l'énoncé suivant: **V**italité **I**ntérieure qui s'**E**xprime (VIE). Pensons à l'humble pois chiche dans notre garde-manger: il y dort depuis trois ans. Humecté pendant trois jours, il germera. Et pourtant, cette légumineuse, à l'échelle des galaxies, est d'une rareté à peine concevable. C'est un composé organique doté d'une étincelle à la fois dormante et miraculeuse: la vie. Ce petit pois miracle, que représente-t-il en comparaison d'une vie humaine douée de sentiments, d'émotions, d'intelligence, de sens capables de concevoir, d'analyser et d'embrasser en esprit la totalité de l'Univers dans lequel il demeure plus infime qu'une poussière d'atome? L'esprit humain: un univers fini, infime, qui ne vit qu'une fraction de nanoseconde et pourtant capable de concevoir l'infini grandiose qui explose sur des millions de milliards d'années.

Biologiquement, la vie universelle n'a que trois besoins: de l'air, de l'eau et de la lumière. La vie humaine et psychologique a aussi trois besoins: aimer, créer et comprendre. L'homme total n'a que ces trois seuls besoins pour satisfaire les trois dimensions de tout son être: âme, corps, esprit. L'âme, l'essence, est faite pour aimer. Le corps a besoin d'exprimer sa créativité, de faire, de fabriquer. L'esprit veut comprendre son environnement et l'Univers.

Toute vie humaine concourt à satisfaire ces trois besoins universels et incompressibles: aimer, créer, comprendre. La difficulté la plus grande consistera à les combler sans être victime de ses illusions.

Notre vie humaine est un voyage par lequel nous cherchons tous, sans exception, le bonheur. Nous voyageons en une forêt magique pleine de symboles, d'illusions, de tentations pour la facilité, d'attaques par les fantômes de notre propre esprit. Voyage fascinant, unique: la recherche du bonheur et les réponses sont si simples, d'où notre difficulté à les voir. Le bonheur, but de la vie, chemine avec nous, à nos côtés, et souvent nous regardons trop loin pour le voir.

Ce qui illustre le mieux les illusions dans cette recherche du bonheur, c'est ceux qui vivent en attendant le gros lot, la promotion, l'âme sœur idéale, en se disant: «Quand j'aurai atteint cela, je serai heureux.» Illusion! Le bonheur est là, près de vous. Saisissez-le!

Nous verrons tout cela en détail. Entre-temps, il faut tous être conscients de la simplicité de nos trois besoins de base: aimer, créer et comprendre.

S'il y a déséquilibre entre ces trois besoins parce que l'un d'eux cesse d'être comblé, tout notre être (âme, corps, esprit) entre immédiatement en état de recherche incessante pour rétablir l'équilibre par la recherche d'un nouvel équilibre.

C'est cela la vie, **V**italité **I**ntérieure qui s'**E**xprime, dans sa recherche du bonheur et d'un équilibre entre aimer, créer et comprendre.

NOTRE BESOIN D'AIMER

Aimer et être aimé, avers et revers d'une même médaille, sont un seul et même besoin essentiel, flux et reflux du fleuve du vivant, mouvement perpétuel de notre âme en devenir.

Aimer et être aimé constituent un concept psychophilosophique qui se traduit dans nos besoins de tendresse, d'affection, d'échange avec les autres, de mutualité avec l'autre.

Il a été démontré, lors d'une expérience demeurée célèbre, qu'un jeune chimpanzé privé de l'affection maternelle, mais dont on comble néanmoins tous les besoins physiologiques, développe de graves déséquilibres psychologiques : agressivité pugnace, dépression, troubles divers du comportement comme l'asociabilité.

Au cours de cette expérience, le jeune chimpanzé recevait tous les soins physiques essentiels : nourriture, hygiène, espace vital. En contrepartie, il était privé de toute forme de contact et de rapport social avec sa mère et ses congénères : aucune tendresse, aucune affection, aucune rétroaction corporelle, aucun amour.

Il a été démontré d'autre part que tous les jeunes mammifères socialisent grâce au jeu avec leurs parents et leurs congénères. Privés de la possibilité de jouer, ils développent des comportements hyperagressifs ou profondément passifs.

Réfléchissons aux conséquences pour ces millions d'enfants dans le monde entier privés de tendresse, d'affection, de la possibilité d'exprimer par le jeu ce qu'ils sont, ce qu'ils sentent.

Le simple apprentissage du langage, dans la prime enfance, se fait par le jeu lié à la tendresse. C'est ce qui faisait dire à mère Teresa que la vraie pauvreté de l'Amérique, c'était l'absence de contact, de tendresse, d'affection, liée, par compensation, à une recherche frénétique du confort, de la sécurité matérielle, de la réussite, de l'image sociale stéréotypée.

Aimer et être aimé représentent le besoin essentiel de l'âme. Cela étant dit, qu'est-ce que l'âme? Quelle différence peut-on établir entre l'âme et l'esprit? L'âme, c'est l'instinct spirituel, une étincelle froide et pourtant vivante qui nous conduit instinctivement vers un besoin de valeurs absolues telles que la foi, la charité, l'espérance et, enfin, vers la synthèse du spirituel: l'amour.

L'âme, la dimension spirituelle de l'être représentée dans la Bible par le souffle, qui donne la vie, peut être associée à notre dimension extratemporelle: nos valeurs qui transcendent la durée de notre vie, que ce soit notre croyance en un Être suprême, en une éternité ou en des valeurs comme l'immortalité, la bonté universelle, l'altruisme, l'amour universel.

Notre besoin de recevoir et de donner de l'amour transcende la relation immédiate; c'est un besoin aussi essentiel et universel à l'âme que l'eau pour le corps.

Si ce besoin d'aimer cesse totalement d'être comblé, la personne perd son âme, c'est-à-dire son identité propre d'être humain, ce qui est rare. Plus fréquemment, le besoin d'aimer sera dénaturé, blessé, meurtri, et le résultat se manifestera par un déséquilibre de l'âme appelé déséquilibre psychologique. Le mot «psychologie» (*psukhé – logos*) signifie très justement la science de l'âme.

Aimer et être aimé, mouvement bivalve de l'âme, avers et revers d'une même médaille, mouvement même de la vie.

Je suis coach, et ma première approche vers un client est un mouvement d'amour: pendant les vingt premières minutes de la rencontre, je me pratique à l'aimer tel qu'il est, tel qu'il se présente, je veux l'aimer, c'est-à-dire le respecter dans sa totalité d'être, convaincu que lui aussi veut aimer, créer, comprendre.

Le client sent toujours cet amour, ce respect, et l'amour ouvre les cœurs, et l'on se comprend par et seulement par l'intelligence du cœur.

De toute ma vie et de toute ma carrière, je n'ai jamais rencontré un homme ou une femme qui ne recherchait pas l'amour, le grand Universel. C'est ce que tente d'offrir en premier lieu le coaching: l'amour ouvre les cœurs, et ainsi devient possible la compréhension de soi essentielle à toute transformation libératrice.

NOTRE BESOIN DE CRÉER

Puisque aimer et être aimé sont un besoin obligatoire de l'âme, créer est le besoin essentiel du corps et de l'esprit (réalisation de soi) sur les plans psychologique et physiologique. Il ne s'agit pas ici seulement du corps matériel de l'humain, mais de sa réalité physique globale. Je respire, je mange, je me déplace, je me construis, je construis, j'innove.

Tout être humain a besoin d'un projet ou de projets: former un couple, bâtir une maison, éduquer des enfants, embrasser une carrière et s'y accomplir, se faire un cercle d'amis et de connaissances. Tout cela concrétise son besoin de créer: habiter un espace mobile et y prendre une place définie et significative à ses yeux et aux yeux des autres.

Cela se voit plus concrètement par le désir de chacun d'exercer un métier, une profession, d'y être apprécié, reconnu et valorisé.

Dans ma pratique du coaching, j'ai souvent observé qu'un employé ou un cadre «mis sur une tablette» devient très vite déprimé, agressif et même violent parce que l'on brime et rejette son droit, son besoin de créer. Cela implique nombre de dépressions nerveuses et de *burnout* au travail. Si la personne ne réussit pas à reporter son besoin de créer vers un nouvel idéal, sa santé en sera gravement affectée, au point de pouvoir la conduire à l'apathie totale, voire à la mort.

Je vois souvent, chez de jeunes adultes issus de gens «riches et célèbres», cette apathie caractéristique des gens brimés dans leur besoin de créer. Ces jeunes ont les épaules voûtées des gens battus, le regard à la fois soumis et révolté des prisonniers. Pendant toute leur enfance et leur adolescence, ils ont été «protégés» de la nécessité de se définir un idéal bien à eux, un rêve réalisable. On les appelait toujours non pas par leur prénom, mais par l'expression: «Le fils de... la fille de...». Ils n'ont pas appris à se définir à partir d'eux-mêmes, mais à partir de l'image sociale, du succès, de la réussite, du pouvoir des autres (leurs parents, leur milieu). Vis-à-vis de leur besoin de créer, ils n'ont même plus l'imaginaire suffisant pour se définir un rêve enthousiasmant, un idéal accessible, un projet concret parce qu'ils sont écrasés par le succès inaccessible de l'autre. Parmi ces jeunes «privilégiés», certains ont un âge émotif de huit ans bien qu'ils aient vingt-cinq ans. Très intelligents, ils ont un jugement et des comportements de l'enfant brimé et bloqué à la préadolescence.

Le besoin de créer, lié à la réalité de notre corps physique temporel, se traduit en psychologie par le besoin de réalisation de soi, tout comme le besoin d'aimer se traduit par le besoin d'estime de soi.

Nous comblons ce besoin de réalisation par notre capacité à faire, à créer quelque chose. Être vieux, par définition, c'est ne plus avoir de rêves, d'idéal. Être vieux et vieillir sont deux réalités bien différentes illustrées par le petit poème suivant.

LE VIEILLARD

Un vieillard assis
Devant sa fenêtre
Contemple la rue.
Vide.

Vide sa vie inutile.
Son cœur refroidi,
L'espérance est morte.
Seul.

En ce premier matin
Du mois de mai,
Son anniversaire. Seul.
Les désirs sont morts,
Éteintes les espérances.
Vide.
Vide, seul.
Il a vingt ans.

J'ai connu de ces personnes qui, à vingt ans, n'avaient plus de rêves, d'idéal. Quelle merveille, quelle joie quand je les revoyais, trois mois plus tard, s'ouvrir à la vie, à l'espérance, à la foi en eux-mêmes, au désir de réaliser des choses, de créer une vie dans la vie!

NOTRE BESOIN DE COMPRENDRE

Je l'ai déjà dit, chaque être humain a un besoin immense d'aimer et d'être aimé (estime de soi), de créer (réalisation de soi) et de comprendre (image de soi).

Dans sa dimension cérébrale, notre intelligence éprouve un besoin de connaître et de comprendre son environnement humain.

L'humanité a exploré les coins les plus retirés, les plus secrets de la planète et de l'Univers, tant dans l'infiniment petit que dans l'infiniment grand, et ce, depuis les époques les plus lointaines. Cela démontre notre besoin universel de comprendre notre Univers, notre environnement.

J'ai vu bien des *burnout* sévères chez plusieurs cadres qui me disaient en un cri retenu et violent: «J'ai besoin de comprendre ce qui m'arrive; j'ai besoin de comprendre ce qu'on me reproche; je veux comprendre pourquoi on me rejette.»

Eh oui, la plupart des gens en *burnout* sévère que j'ai rencontrés guérissaient, et ce, de façon radicale, au moment où ils découvraient le sens profond de leur propre vie, la raison de leurs échecs, de leurs propres motivations dans la course à la réussite!

La compréhension, besoin essentiel, pacifie l'âme et apporte la sérénité. Bien des gens remplacent ce besoin profond par un étourdissement permanent: les ambitieux, les dons Juans, les superperformants. Et, au fond, leur vie devient une fuite en avant, car la solution n'est pas dans la course effrénée, mais dans le repos rasséréné.

Pour combler le besoin de comprendre, quelqu'un doit accepter de créer un certain silence intérieur et cela ne se fait pas en courant

19

sans arrêt. Une eau trouble devient claire seulement lorsqu'elle est au repos.

Comprendre, un besoin essentiel de l'esprit logique et rationnel de l'homme, un besoin de notre intelligence: l'intelligence a besoin d'«intelliger».

Ce que je suis	Aimer →	Âme →	Estime de soi →	Être
Ce que je veux	Créer →	Esprit →	Réalisation de soi →	Faire
Ce que je peux	Comprendre →	Intellect →	Image de soi →	Avoir

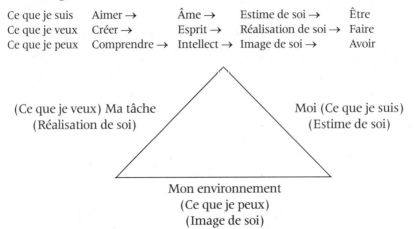

(Ce que je veux) Ma tâche
(Réalisation de soi)

Moi (Ce que je suis)
(Estime de soi)

Mon environnement
(Ce que je peux)
(Image de soi)

Ce schéma permet d'intégrer les notions centrales des trois besoins essentiels de l'humain.

Je me permets ici de rappeler la figure biblique de la Trinité, une idée que l'on trouve au cœur de plusieurs courants spirituels et sous différentes formes. La Bible enseigne que Dieu est trin: le Père (le Dieu d'amour), le Fils (il s'incarne pour racheter notre faute), le Saint-Esprit (l'Esprit de Dieu planait sur les eaux). Cette figure de la Trinité, sur le plan cosmique, reproduit la triple réalité de tout être humain: moi, ma tâche, mon environnement. Le couple et l'enfant reproduisent également la réalité du triangle de vie (mère, père, enfant).

On peut encore enrichir ce triangle en rappelant les trois pôles psychologiques:

Ce que je suis: (Être – Moi);
Ce que je veux: (Faire – Ma tâche);
Ce que je peux: (Avoir – Mon environnement).

Ce triangle, représentation de l'ancienne figure biblique d'un Dieu Trinité, décrit et représente dans toute sa complexité la réalité de l'humain. À partir de cette réalité, nous pourrons situer les notions de bonheur humain, de valeurs humaines et de transformation personnelle.

LE BONHEUR

Qu'est-ce que le bonheur? Un gros chat langoureux, ronflant à côté d'un foyer rempli des odeurs et des crépitements des bûches d'érable, perdu dans ses rêves mystiques. Image du bonheur! Un couple d'amoureux se promenant main dans la main dans un champ de pâquerettes, sous le soleil bienveillant de juillet, les chants des oiseaux, le murmure d'un ruisseau, la brise légère qui rafraîchit, l'air immobile. Béatitude, sérénité, paix... bonheur!

Deux images du bonheur. Deux images qui révèlent les ingrédients du bonheur: la paix de l'âme, la sérénité de l'esprit, l'harmonie des formes.

J'ai déjà lu cette surprenante définition mathématique du bonheur: le bonheur est fonction de l'écart entre nos aspirations et nos réalisations.

Cette définition, à première vue mercantile, représente assez justement ce que peut être le bonheur. Songeons à une personne dont les aspirations sont trop élevées ou irréalistes ou illusoires. L'écart à franchir pour réaliser ses aspirations devient infranchissable et elle ressent frustrations, désillusions et conflits.

Dans ma pratique professionnelle, j'ai rencontré des centaines de personnes qui faisaient dépendre leur bonheur d'une promotion à un poste plus élevé. Elles en faisaient presque une question de vie ou de mort. En cas d'échec, ces gens s'effondrent totalement. L'aspiration à une promotion recèle souvent une illusion insidieuse: le besoin de se prouver quelque chose, le besoin de le prouver aux autres.

Ce besoin aigu d'avancement cache souvent une série de complexes liés à une estime de soi très basse compensée par un trop grand besoin de réalisation de soi ou par un besoin survalorisé de l'image de soi.

Le bonheur, qu'est-ce que c'est? Contrairement au gros chat du premier exemple, le couple d'amoureux dans le champ de pâquerettes a une conscience aiguë du bonheur, car c'est le propre de l'homme d'aspirer *consciemment* au bonheur. Pour l'atteindre, ce bonheur si fugace et si fragile, il faut une *volonté* consciente, une *intelligence* sereine et un *jugement* éclairé. Intelligence, jugement et volonté (toujours le triangle!) sont les trois outils dont dispose notre esprit pour créer, transformer et améliorer ce que nous sommes. Écart entre nos aspirations et nos réalisations. Si le bonheur dépend de cet écart, tâchons d'avoir au moins des aspirations réalistes et réalisables.

J'avais une cliente âgée de trente-huit ans, cadre technique dans une grande entreprise. Battue par un mari frustré, elle m'a fait part de sa solution à son problème: «J'achète régulièrement des billets de loterie et si je gagne un gros montant, je jure que je le quitte!» Cet exemple authentique et triste nous permet de voir toute la masse des illusions pernicieuses dans la vie de cette femme. Elle avait une estime de soi très faible: peur de vieillir, peur du conflit, peur du rejet, sentiment de culpabilité face au mari, sentiment d'être responsable du couple, peur de l'opinion des autres, et j'en passe.

Si cette femme avait gagné une grosse somme, elle n'aurait probablement pas quitté ce violent frustré, car ses propres blocages sont en elle, aussi bien que les solutions à sa libération psychologique. Ses aspirations de libération, au moment où je l'ai connue, n'étaient qu'illusions et apparences.

Son estime de soi était trop faible pour qu'elle puisse déterminer et nommer ses véritables aspirations. Son bonheur se réduisait donc à cuisiner sur son barbecue, le week-end, avec sa famille, espérant intérieurement que son mari épais s'adoucirait. Non, le bonheur ne peut pas résulter de nos tristes compromis de fin de semaine. Le bonheur, c'est la paix de l'esprit, la sérénité, le détachement et la faculté d'apprécier. Paix de l'esprit, sérénité, détachement et faculté d'apprécier: non, ce n'est pas une erreur de ma part, je le répète parce qu'à l'intérieur de ces quatre vertus réside le bonheur, et pas ailleurs.

Ces quatre états d'esprit qui président au bonheur s'acquièrent peu à peu, en fait, pendant toute la vie. Bien mourir, n'est-ce pas mourir en paix avec soi, partir avec sérénité et détachement?

En attendant, puisque nous ne sommes pas morts, vivons notre vie, vivons-la pleinement. Voici treize clés du succès d'une vie orientée vers le bonheur.

COMMENT CRÉER SON PROPRE BONHEUR

1. Tout d'abord, savoir se donner des aspirations réalistes.

Les illusions seront les démons de notre bonheur. Vouloir être aimé de tous, voilà un exemple d'illusion sournoise. Vouloir être un héros, rêver de gagner le million, vouloir que son enfant soit parfait, avoir peur de vieillir, avoir toujours raison, critiquer tout, toujours et en tout temps: illusions, illusions, illusions.

Les aspirations réalistes? Elles sont simples, directes, immédiates. Aspirer à ne pas dépendre de l'argent, à cultiver quelques amitiés vraies, voir le positif en chaque personne et en chaque chose. Je n'ai pas d'argent pour faire le tour du monde, je vais donc me contenter de faire un petit tour en appréciant pleinement. Je préfère mille fois un repas simple avec de vrais amis qu'un grand repas comprenant huit services avec des gens hautains.

2. Savoir apprécier.

La société du confort sans effort est porteuse d'un drame humain terrible: nous désapprenons les vertus de l'effort, les vertus du désir, du rêve, de l'aspiration de l'âme. Nous ne savons plus apprécier les bonheurs simples: un rayon de soleil qui réchauffe, une bonne soupe maison, un feu de camp par une soirée fraîche, un sourire bienveillant, un regard de bonté.

Sachons *apprécier* ce que nous avons. Si je n'aime pas mes yeux, je dois savoir *apprécier* le fait de voir. La religion de nos pères nous apprenait à apprécier, à remercier. Chaque soir, ma mère me faisait prier: «Remercie Dieu pour tout ce qu'il y a eu de bon dans ta journée: le soleil, la pluie, un camarade gentil, un bon repas, etc.» Nous apprenions à *apprécier*, donc à goûter les cadeaux de la vie... à dire merci.

Dit autrement, le bonheur consiste en bonne partie à faire ce que nous aimons, avec notre âme, ou sinon apprendre à aimer ce que nous faisons, avec notre esprit. «Fais ce que tu aimes, sinon aime ce que tu fais.»

3. Toujours chercher l'équilibre.

On nous a trop enseigné qu'il fallait combattre tous nos défauts pour devenir meilleurs et parfaits. Illusion encore. Non! Le sens de la vie humaine n'est pas d'aspirer à la perfection, mais de tendre vers l'équilibre. Équilibre de ce que je suis – le moi avec ses forces et ses faiblesses –, équilibre entre ce que je suis et ce que je fais – ma tâche humaine –, et ce que je veux – mon environnement.

À titre d'exemple, si un impulsif décide de se corriger en vue d'une plus grande perfection, il risque de devenir compulsif. Qu'aura-t-il gagné? Il aura développé une personnalité contrainte.

C'est souvent le phénomène des enfants qui ont subi une éducation aimante mais froide, stricte, qui les forçait continuellement à la performance et à la perfection. Plus tard, ils souffrent du syndrome du bon garçon ou de la bonne fille. Totalement contraints dans leurs pensées, ils ont toujours la crainte de déplaire ou d'être critiqués. Ils sont devenus de parfaits petits bonsaïs, mais leur personnalité propre est totalement réprimée. Chaque homme a le devoir de trouver et de parfaire son propre équilibre, et ce, en débusquant d'abord ses propres illusions liées au bonheur.

L'équilibre consiste en une spontanéité créatrice, en un plaisir à vivre et à sentir, le plaisir de s'exprimer et d'échanger. Pour y parvenir, on n'a pas besoin d'être parfait; il faut simplement être vrai.

4. Déterminer et rejeter nos illusions.

«Si j'avais de l'argent, mes problèmes seraient réglés.»
«Si elle m'aimait, je serais heureux.»
«Si j'obtenais ce poste, je n'aurais plus de problèmes.»
«Ah! si mon garçon était premier de sa classe, je serais heureux à la maison!»
«Si j'étais meilleur au tennis, je jouerais régulièrement.»
«Si les enfants ne prenaient pas tout mon temps, je pourrais me remettre en forme.»
«Ah! si la fin de semaine peut arriver!»
«À ma retraite, je vais enfin faire ce que je veux.»

Nos illusions nous cachent nos véritables aspirations et nous privent de ce qui pourrait véritablement constituer la base de notre bonheur.

Pour nous défaire de nos illusions, prenons le temps de nous recueillir, d'écouter notre cœur et nos proches, simplifions nos désirs, sachons nous reposer dans le silence, dans la paix.

L'illusion ne pourra jamais conduire au bonheur mais à la désillusion.

5. Combattre les quatre dragons draineurs d'énergie.

Égoïsme
Méfiance
Orgueil
Insécurité

Le fameux **ÉMOI!** Ces quatre dragons sont à la source de tous les malheurs de l'humanité depuis ses origines. Si Satan avait un visage, ce serait celui-là.

J'ai vu beaucoup de clients dans la quarantaine, prospères, respectés, craints, intelligents, efficaces, organisés, enviés, et pourtant ils me disaient: «Je suis angoissé, je perds pied, je ne digère plus, j'ai peur. Je voudrais connaître le bonheur, juste me sentir heureux.» Leur problème: ils ont réalisé bien des choses, mais pas leur vie. Leur succès a été construit sur une fuite en avant, «peureux plutôt qu'heureux». Chaque réussite nourrissait l'un des quatre dragons ou, pire, les quatre à la fois. Le succès a transformé bien des vies en un échec et certains échecs ont marqué le début d'une vie réussie.

6. Développer les quatre piliers de la sagesse (les énergiseurs).

Charité
Humilité
Espérance
Foi

Opposons ÉMOI (démon draineur d'énergie) et CHEF (ange constructeur d'énergie), et l'on peut dire que chacun peut choisir de vivre à partir soit de l'un, soit de l'autre. Le premier conduit au malheur, quels que soient nos réussites, nos succès; le second conduit à la paix intérieure, à la sérénité, à l'équilibre psychologique. Bref, c'est la voie royale du bonheur.

J'ai vu souvent à mon bureau des femmes et des hommes admirés, aimés, enviés, prospères, intelligents, efficaces, et qui irradiaient la bonté, la bienveillance, la sérénité. Je percevais facilement que leur vie était guidée par les quatre vertus de CHEF, les quatre constructeurs d'énergie.

La médecine occidentale fait d'ailleurs le constat que les gens vivant dans l'ÉMOI ont des santés chancelantes, fragiles, et souvent leur qualité de vie et leur longévité en sont affectées... ainsi que celles de leur entourage.

Toutes les personnes que je connais et qui vivent dans le CHEF sont généralement pétantes de santé, d'énergie; elles ont un enthousiasme communicatif, une chaleur humaine attirante.

7. Être enthousiaste.

«Tout ce qui mérite d'être fait, mérite d'être fait avec enthousiasme.» L'enthousiasme et ses sœurs: la joie, le rire, l'émerveillement, la

spontanéité, la chaleur humaine sont, en quelque sorte, les vitamines de l'âme et de l'esprit.

Je vois souvent des gens qui effectuent un contrôle strict, scientifique et physiologique parfait de leurs calories, de leurs protéines,
de leurs minéraux et de leurs vitamines: quantité et qualité aliment-
aires mesurées, calibrées... et méditées. Pourtant, certains d'entre
eux souffrent d'embonpoint ou de maigreur extrême, ont le teint
pâle, éprouvent divers maux: diarrhées, ballonnements, arthrite,
rhumes et grippes à répétition. Chez ceux-là, je sens une tristesse de
chien basset dans leur regard et au fond de leurs prunelles éteintes. Il
n'y a aucune trace d'enthousiasme ou de joie de vivre en eux et il
semble que le corps se venge de l'âme.

À l'opposé, je connais de ces gens à la santé «presque choquante»,
tellement ils rayonnent de joie, de bonne humeur. Aucun virus ou
microbe ne semble s'attaquer à eux. Ces gens enthousiastes sem-
blent vivre mieux et plus vieux que les esprits gris.

8.   Penser à soi.

Cela ne constitue pas une invitation à l'égoïsme, mais à la capacité de
se retirer *régulièrement* en soi. Reconstruire notre paix intérieure,
notre sérénité, notre sens du détachement de la rumeur du monde.
Nul ne peut donner ce qu'il n'a pas. Il faut donc se construire et se reconstruire dans un esprit de paix, de repos intérieur. Notre cœur, telle
une batterie, a besoin de se recharger.

Les mauvaises manières de recharger notre batterie sont faciles,
attirantes et trop nombreuses: les médias (télévision en tête), l'al-
cool, les potins, les médicaments, la critique constante, la mauvaise
humeur, une alimentation trop grasse, l'étourdissement dans la sur-
activité.

Chacun se doit de se ménager des petits cinq minutes ici et là
dans sa journée pour refaire le silence intérieur, la paix de l'esprit,
pour recentrer son âme autour d'une ou deux pensées positives (sa-
chez apprécier et... remercier). Se recueillir en silence, un bon verre
d'eau ou de jus à la main, peut-être à l'écoute d'une musique douce
ou avec un manuel de méditation ou de poésie ou... rien d'autre que
le silence, la paix, la douceur de l'atmosphère.

Personnellement, au bureau et à la maison, j'ai plusieurs petits
livres de poésie que je lis et relis continuellement. J'en choisis un, je
le déguste mot par mot, ligne par ligne. Sans trop forcer mon atten-
tion, je me laisse prendre par la magie des sons, la beauté des mots et
la grandeur des images évoquées et je... médite. En voici un exemple
simple.

LA CHENILLE

Petite touffe
Brune et velue,
Où vas-tu
De tes pas pressés?

Au milieu de la route
Où tu cours,
Il y a la mort
Qui te guette.

Tu veux voyager?
Plus riche en mystères
Et en beauté
Est ton jardin.

De bitume et d'amertume
Sont faites les routes
Des hommes.
Elles conduisent toutes Ailleurs.

Petite touffe
Brune et velue,
Ton jardin, c'est la promesse
D'un papillon.

Ce précieux viatique que je vous livre constitue le genre de poème propre à inspirer le recueillement, la paix, la joie intérieure, le goût du sublime. Personnellement, c'est là ma manière quotidienne de me ressourcer; parfois même, je m'essaie à la plume, d'un petit vers ici et là, comme vous le voyez.

9. Prendre l'air.

Allez jouer dehors! Saviez-vous que des milliers de personnes âgées, vivant dans un petit logement de deux pièces, dans des tours d'habitation des centres-villes, se condamnent elles-mêmes, pendant cinq ou six mois, à ne pas voir la lumière du jour? Elles prennent les ascenseurs une ou deux fois par semaine, descendent faire leurs emplettes au sous-sol de ces tours et remontent s'ennuyer et attendre. Attendre quoi? C'est de cette forme de pauvreté des âmes et des cœurs abandonnés dont parlait mère Teresa.

L'air pur, l'air libre, l'air vif, nourriture des poumons et, surtout, du cerveau. Le cerveau, univers de vingt milliards de soleils, a besoin d'oxygène et d'oxygénation, ne l'oublions pas. À vivre dans le noir, sans air pur, nos idées et nos émotions finissent par être noires.

27

10. Faire une activité que l'on préfère.

Antidépresseurs, antianxiogènes ou prophylactiques de tout acabit ankylosent le mal à l'âme, mais ne guérissent pas le mal ni ne le combattent.

J'avais un client âgé de quarante ans dont la pharmacologie contenait, sur deux pages, vingt-trois médicaments: antidépresseurs, antianxiogènes, énergiseurs, antiacides, antihistaminiques... Il avait cinq ou six maladies différentes: acouphènes, diverticulose, varices rectales, ulcères, impétigo. Il avait surtout un mal profond tapi dans les fibres de l'âme, le mal de vivre. Ayant peur de la vie, il avait peur de la mort. Est-ce la faute de ses médecins? Pas vraiment, mais la médecine étant démocratique, accessible et gratuite, il consultait au total cinq médecins différents en plus de deux ou trois psys. En fait, sans me tromper, je pourrais affirmer qu'il avait une énième maladie: l'hypocondrie.

La vie de cet homme se résumait à travailler à la maison et au bureau, durant la semaine et la fin de semaine. Vie et travail étaient devenus synonymes. Ironie du sort, son travail était devenu insatisfaisant aux yeux de l'entreprise, et avec raison. Les erreurs étaient fréquentes: il oubliait des réunions, des appels, il se traînait littéralement au travail et à la maison. Sa devise était: «Mieux vaut être occupé que préoccupé!» Excellente devise, mais elle l'a empêché toute sa vie d'approfondir, de comprendre et de régler cette préoccupation qui le hantait.

Ayez une ou deux activités personnelles ou familiales autres que le travail: marcher en forêt, faire des casse-tête, visiter des musées... Soyez un peu fantaisiste, que diable!

L'été, j'aime marcher dans les ruisseaux. Je le fais depuis ma tendre enfance! J'aime mieux être mouillé que rouiller.

11. Boire beaucoup d'eau.

L'eau, en plus d'être un lubrifiant biologique, est un hydratant et un nettoyeur puissant et le plus simple de tous les électrolytes connus. Elle permet à la chimie du cerveau de s'effectuer adéquatement. Le cerveau est une puissante et très complexe machine qui fonctionne à partir de flux électrochimiques générant de seize à vingt-trois types d'hormones appelées endorphines.

Très souvent, devant un gestionnaire ou une personne dont on avait diagnostiqué un *burnout* ou, à l'opposé, de l'hyperactivité, l'eau s'est révélée un élément quasi magique d'un début de retour à l'équilibre tant physique que psychosomatique. Je recommande souvent un minimum de dix verres d'eau de 250 à 300 ml (de 1 à 1$\frac{1}{3}$ tasse) par jour.

J'ai rencontré un cadre, appelons-le Joseph, qui ne pouvait même plus transpirer, bâiller... ou rire. Il était très agressif et souffrait d'un embonpoint chronique. Même s'il prenait des médicaments sous ordonnance, je lui suggérai mon truc des dix verres d'eau par jour. Une semaine plus tard, la nuit, il évacua environ un demi-litre (2 tasses) d'eau, par effet de transpiration, à un point tel qu'il devait changer les draps. Un an plus tard, Joseph avait perdu entre 20 et 25 kg (44 et 55 lb) et son hyperagressivité avait disparu. Ce n'est pas dû seulement à l'effet de l'eau. En fait, je lui avais recommandé de suivre les treize clés du bonheur, mais j'avais particulièrement insisté sur l'eau.

12. Cultiver l'amitié.

L'amitié ne se mesure pas en fonction du nombre d'amis, mais en fonction de notre attitude. Nous devons développer en toutes circonstances et avec la plupart de nos relations une attitude amicale: nos collègues, notre conjoint, notre famille proche, nos enfants.

Qu'est-ce qu'une attitude amicale? Il s'agit tout simplement d'apprendre à être simple, chaleureux, gentil, bienveillant, respectueux et attentif avec tout le monde. Est-ce une question de caractère, d'attitude, d'habileté? Non, il s'agit seulement de vouloir, et de vouloir en tout temps; c'est une question de volition et de volonté.

À force de vouloir et de faire, on finit rapidement par voir le bon côté existant en chaque personne. Quand nous réussissons à apprécier le bon côté des êtres et des choses, en peu de temps, ce qu'il y a de meilleur en nous se manifeste, s'exprime et nous rend meilleur.

Inutile de hurler après un poêle à bois pour qu'il nous donne sa chaleur, non, il faut être le premier à le nourrir en lui donnant du bois. En retour, il nous donnera sa chaleur.

Âgé de vingt ou de trente ans, j'avais, dit-on, un fort mauvais caractère; je pratiquais la communication cactus et tout le monde en retour me piquait. Un jour, un de mes mentors m'a appris que la plupart des gens étaient fragiles, blessés, vulnérables ou simplement sensibles et que j'aurais plus de succès avec la communication «Ozonol». J'ai donc lu et relu à plusieurs reprises le livre de Dale Carnegie, *L'art de se faire des amis*. Cet ouvrage très simple m'a appris plusieurs leçons pratiques que j'utilise continuellement dans mes relations humaines.

La seconde partie de ce volume portera d'ailleurs entièrement sur les phénomènes et les techniques de communication. La communication, comme je le démontrerai, est l'outil par excellence pour augmenter notre propre liberté personnelle, notre adaptabilité à un environnement et notre équilibre personnel.

13. Vivre le présent.

Le présent, c'est l'instant, c'est ici, c'est maintenant. Je suis là, seul, assis à ma table, j'entends le bruit monotone du frigo, un chien jappe au loin. Le 1er décembre, à 16 heures, je sens la chaleur des radiateurs, je sens mon bien-être physique, en pleine forme, ma tisane goûte bon. Ah! le bien-être de vivre, de sentir, de jouir de ce moment!

Cela ou m'asseoir avec anxiété au bout de la même table, en calculant s'il me restera un régime de retraite dans vingt ans, me demandant si l'hiver sera long, noir et froid. «Ah! un massacre en Israël! Tiens! Encore une autre grève des postes! Les titres en Bourse baisseront-ils le mois prochain? Ah! il y a vingt ans, j'aurais dû devenir professeur d'université! Six heures de cours par semaine! C'est ça la vie, c'est la vraie vie!» Illusions, illusions.

Non! La vie, c'est vivre pleinement ce moment-ci, apprécier cette tisane, ce coup de téléphone amical, ma santé présente, ma tranquillité.

Celui qui vit dans les regrets d'un passé évanoui ou la peur des coups du sort à venir, vit par procuration. Sa vie dépend de deux rives insaisissables. Apprécier l'instant qui coule. Remplissons-le de notre présence totale pour atteindre notre plein équilibre humain et pour développer notre potentiel d'individu unique et pourtant universel.

Les treize règles d'or du bonheur énoncées précédemment résultent de ma clientèle très diversifiée. Chez les gens heureux, et il y en a beaucoup, j'ai décelé et observé ces treize constantes. Chez ces mêmes gens heureux, à la simple observation de leur style de vie et de leurs valeurs, il était très évident que tous pratiquaient le CHEF plutôt que l'ÉMOI.

Charité	**É**goïsme
Humilité	**M**éfiance
Espérance	**O**rgueil
Foi	**I**nsécurité

C'est donc dire que l'être humain, soucieux de bonheur, détient les treize clés les plus élémentaires pour bâtir son bonheur. Ces treize clés combinées à CHEF ne coûtent rien, elles sont directement et immédiatement offertes à tous; elles sont agréables et nourrissent instantanément nos trois besoins essentiels: aimer, créer et comprendre. Elles nourrissent donc l'âme, le corps et l'esprit sans rien acheter ni dépenser. Il faut uniquement la volonté de le faire, l'intelligence de le comprendre et l'esprit de la réussite.

Le bonheur peut être simple; en voici un exemple.

MA MAISON

Ma maison bien plantée
Au milieu de ses arbres
Abrite les secrets
De nos cœurs.

Ma maison bien solide
Est bâtie de souvenirs
Heureux. Deux petites
Filles aux cris joyeux.
Paix de l'âme et
Silence de ces cris heureux
Habitent mon cœur
Qu'abrite ma maison.

LA TRANSFORMATION

On ne passe pas de la prime enfance à l'âge adulte sans heurts, sans chocs, sans épreuves. Avec l'âge, les blessures et les cicatrices de l'âme s'accumulent et, quelquefois, sous les coups de butoir de la vie, nos vieilles blessures se réveillent et nous réveillent, et parfois... nous révèlent. Nous souffrons alors d'un «rhumatisme de l'âme».

Ces vieilles cicatrices mal guéries peuvent remonter très loin, même à l'enfance, ou être très récentes: un divorce, un décès, une perte d'emploi. Parfois, ce sont des contrariétés anodines qui ont créé le choc: une mauvaise évaluation au travail, un ami fâché contre nous, une critique négative ou méchante. Le choc peut aussi être majeur, tels la mort d'un être aimé, la découverte d'une maladie incurable, la perte de son emploi, un divorce.

Tous ces chocs mineurs ou majeurs créent une pression sur nos valeurs intimes et profondes, pouvant même aller jusqu'à l'effondrement. Par contre, ces coups de butoir, que nous appelons épreuves, mettent justement à l'épreuve ce que nous sommes. Certains en sortent démolis et s'enferment dans le refus. D'autres en sortent grandis, ayant choisi un réseau de solutions. Ce processus de réactions et d'adaptation à l'épreuve est le processus même de transformation de nos valeurs et des valeurs humaines en général.

J'ai connu un cadre de trente-deux ans, totalement soumis, passif, timoré, craintif, ayant peur de tout et de rien. Appelons-le Albert. Diplômé des plus grandes écoles de management, venant d'un milieu très aisé et en vue, Albert avait été élevé selon les plus strictes règles victoriennes. Vice-président débutant, grâce au prestige et aux relationss de sa famille, Albert venait d'être congédié *manu militari*. Pourquoi? Ses cinquante employés, peu impressionnés par les origines nobles d'Albert, avaient placé son bureau dans un débarras pour se moquer de leur «Ti-Coune». Deux jours plus tard, le grand patron le découvrit en train de travailler à son bureau... toujours dans le débarras. C'en était trop. Congédiement immédiat, avec généreuse prime, cependant.

Albert s'est présenté à mon bureau quelques semaines avant Noël. Il était pathétique à voir. De plus, ayant peur d'être en retard au rendez-vous, il s'était affolé et était tombé dans la gadoue, à l'entrée de mon bureau. Dégoulinant, il souriait comme un enfant à la fois coupable et innocent.

Albert, avec un QI exceptionnel et un âge émotif de neuf ans, venait de rencontrer, pour la première fois, la cruauté d'un monde dur quand le Grand Nom familial ne le protège plus. En pleurant, il m'a demandé quel était son problème. Ma réponse a été celle-ci: «Albert, tu es un petit chat angora de salon, on t'a dégriffé; cela ne te donne pas beaucoup de chance quand tu rencontres les chats de gouttière, dans la vraie société.» Je crois qu'il a compris. Nous reviendrons sur les suites de ce cas.

Albert venait de rencontrer son **SAR/AH**. Face à un vrai choc, un vrai coup dur, nous vivons tous un SAR/AH, processus psychologique d'adaptation inhérent à notre nature humaine.

Je garde le concept anglais tellement l'acronyme est magnifique:

Shock
Anger
Refusal→ réseau d'excuses

Acceptance→ réseau de solutions
Help

Voilà exactement ce qui se passe en nous face à une épreuve inattendue et non souhaitée! Les trois premières étapes échappent à notre volonté. C'est comme ça. Songeons à un divorce difficile, à une perte d'emploi ou à la mort d'un proche. L'état de choc (*shock*) peut être tel, dans certains cas, qu'un déséquilibre psychologique permanent apparaît. Généralement, après le choc qui peut durer une heure, une semaine, un an, surgit la phase de la colère (*anger*). Celle-ci peut être d'une durée très variable selon la résistance de la personne, son équilibre personnel et la gravité du choc.

À l'étape du refus (*refusal*), aussi de durée variable, la personne peut se figer; elle peut cristalliser le refus en elle, entraînant un déséquilibre permanent, la révolte. Au cours de cette phase, on voit des gens devenir alcooliques, neurasthéniques ou, plus fréquemment, vivre une dépression nerveuse ou un *burnout*.

Au moment où j'ai connu Albert, il en était à cette phase de refus, incapable d'agir et de réagir à l'environnement. Il s'était enfermé dans un mutisme têtu et aveugle aux assauts de son environnement.

Les gens qui s'installent dans un tel refus cessent d'évoluer et commencent à «involuer», en d'autres mots, à régresser, même à un stade infantile. La voix redevient enfantine, ainsi que les gestes, le repli sur soi.

Dans ces trois phases initiales, il n'y a que peu de liberté humaine. Ce sont trois réactions psychologiques connues, normales et inévitables. Comme au poker, dans ces trois premières phases, on ne choisit pas la donne. La liberté humaine débute au moment où *je choisis* de jouer mes cartes et d'en tirer le maximum. Celui qui reste au refus ressemble à ce joueur qui accepterait de jouer pour autant que sa main soit gagnante. La barre oblique dans SAR/AH représente le début de notre liberté: ou je reste prisonnier du refus ou j'accepte (*acceptance*) de gérer l'épreuve au meilleur de mes connaissances, engageant mon cœur, mon esprit, mon âme, mes forces.

Albert en était donc au difficile choix de jouer ses cartes ou non, de se rendre compte de son problème ou de ne pas en prendre conscience, de refuser de changer, de se changer ou de s'accepter. Quand je lui donnais l'exemple du chat angora, je voulais le choquer, le provoquer, le faire avancer vers l'acceptation *qu'il était* son propre problème. Cela a pris trois ou quatre rencontres, où il oscillait entre le refus et l'acceptation et, finalement, un seul mot, l'élément déclencheur, le miracle de la transformation s'est enclenché. Pour la première fois, en un cri strident, l'adulte larvé s'est exprimé à lui: «On ne se moquera plus jamais de moi, c'est trop absurde et souffrant!» Il est passé du côté de l'acceptation (*acceptance*), là où se trouve le réseau de solutions pour nos vies.

Comment être sûr qu'une âme souffrante est vraiment en phase d'acceptation? Il y a toujours vacillements et retours en arrière au refus, à la colère, puis retour à l'acceptation. Mais la personne qui vit son SAR/AH, à un certain moment de l'acceptation, de façon violente, compulsive, bien que de façon confuse, cherchera de l'aide (*help*); elle criera au secours. À nous de l'entendre. Et souvent, nous ne l'entendons même pas, à cause de nos peurs, de nos occupations, de nos priorités. Songeons aux jeunes de douze à seize ans qui se suicident. Où sommes-nous quand ils crient au secours, quand ils appellent à l'aide?

Ceux qui vivent ce processus de transformation lors d'une grande épreuve vont chercher de l'aide un peu partout: un ami intime, un collègue au bureau, un livre, un film, un psychologue et parfois, malheureusement, quand on refuse d'entendre leur cri silencieux, parmi les sectes funestes qui entendent ces appels au secours non formulés, tandis que nous, les proches, nous réglons nos priorités sagement.

Comment Albert a-t-il eu mon nom? Par un homme, collègue de niveau supérieur que je n'avais pas recommandé douze mois auparavant pour un poste plus élevé. Il avait vécu un SAR/AH et je lui avais expliqué avec sincérité pourquoi je ne l'avais pas recommandé à ce poste. Et ce que je lui avais donné, il le donnait à son tour à un être blessé, Albert. Le mal est plus faible que le bien, mais il est très fort de nos petites lâchetés. Si cet homme courageux n'avait pas donné mon nom à Albert... eh bien, celui-ci aurait aujourd'hui quarante ans et peut-être un âge émotif de neuf ans.

Permettez-moi de faire ici le lien entre le concept SAR/AH et la définition du bonheur: aspirations versus réalisations. Si quelqu'un dont les aspirations ont été évidées de leur contenu au profit d'illusions paralysantes ou destructrices, vit un SAR/AH, pour autant qu'il se rende à l'acceptation, il pourra débusquer toute illusion pour la remplacer par des aspirations saines, simples, réalistes et conformes à son moi authentique.

Lorsque Albert a compris que sa vie dorée était une immense illusion, qu'il a constaté que son employeur l'avait embauché en raison du prestige de son nom et qu'il a pris conscience que tout, dans sa vie, avait été décidé par d'autres, il a décidé de reprendre le gouvernail de sa propre destinée. Il a coupé les liens avec une épouse choisie par la famille et a redonné à ses parents son cadeau de noces, une grande demeure à deux pas du «château familial».

Sa prime de séparation et ses économies lui assuraient de douze à dix-huit mois de revenus. Il s'est mis à faire du sport: tennis, natation, golf. Il s'est inscrit à des cours en relations humaines. Peu à peu, il a réappris à communiquer, à s'exprimer, à s'affirmer. Il ne laissait plus ses parents s'immiscer à tout moment dans sa vie.

Lors d'une recherche d'emploi, six mois plus tard, il a évité de citer ses origines familiales. Il s'est trouvé un excellent travail en financement corporatif, ce qui correspond à ses goûts, à ses talents et à ses études. Nous sommes restés en contact depuis; il joue toujours au tennis et me bat régulièrement. Sa joie de gagnant s'exprime d'une manière adulte et non plus infantile.

Ses parents m'aiment plus ou moins, ils me trouvent intelligent mais... si peu homme d'affaires.

Conclusion: puisque Albert n'avait jamais eu d'épreuves majeures, puisqu'il avait été protégé par la famille, son premier SAR/AH était presque non gérable seul. Avec mon aide et celle de gens sincères, Albert a appris peu à peu à découvrir ses vraies et profondes aspirations. Cette recherche de six mois a débusqué toutes ses illusions liées au syndrome du «bon jeune homme»: être toujours gentil, toujours poli, toujours bien mis, ne pas contredire l'autorité, avoir toujours l'air heureux et... riche.

Le petit Albert n'est pas non plus devenu le grand Albert; il est simplement devenu Albert. Pendant notre courte vie, nous devons devenir ce que nous sommes.

En coaching, au lieu d'ajouter des valeurs, des vertus ou des forces aux gens, 80 % de mon travail consiste à les dépouiller de leurs fausses valeurs, de leurs illusions inutiles et dangereuses. Après les trois premières rencontres, les gens sortent souvent de mon bureau les mains vides et le cœur léger. Le coaching leur enlève leurs illusions, leurs souffrances et leurs tortures aussi nuisibles qu'inutiles.

LA MATURITÉ

En psychologie, on parle trop de l'intelligence. On palpe les intelligences, on les compare, on les soupèse, on les nuance. «Méfions-nous de l'intelligence des intelligents!»

L'intelligence n'est aucunement liée au bonheur. Regardez autour de vous et dites-moi si je me trompe. Voilà pour l'intelligence faite de logique, de cérébral, de rationnel.

D'autre part, on peut être adapté à son environnement sans être équilibré ou, à l'inverse, on peut être très équilibré sans être adapté à un environnement donné. Si je fais partie d'un gang de motards, je serai immédiatement non adapté à cet environnement et pourtant, je suis équilibré. Le groupe me rejettera ou me contraindra à modifier mon équilibre personnel, bref, à m'adapter à eux.

Il est fréquent, en prison, de voir des détenus ayant une personnalité magnifique, très équilibrée et adaptée à leur monde mafieux. En dehors de cet univers clos, ils deviennent inadaptés et déséquilibrés.

On peut aussi être adapté à son environnement, bien que déséquilibré. J'ai souvent vu des cadres à l'humeur paranoïaque ou asthénique et qui réussissaient fort bien dans leurs activités professionnelles. Leur déséquilibre devenait un atout. Dans une réorganisation d'entreprise, le paranoïaque n'a peur de rien, fonce, renverse les murs, affronte les opposants, ne recule pas.

Quand la réorganisation est réalisée, les problèmes du paranoïaque commencent, puisqu'il continue de défoncer et d'attaquer tout ce qui bouge. Il est devenu inadapté à un nouvel univers stable. D'ailleurs, si quelqu'un ne l'arrête pas, il crée des conflits autour de lui pour pouvoir les régler et justifier ainsi sa vie.

L'asthénique qui fuit l'univers des émotions dans un travail purement cérébral de haute voltige fera merveille. J'ai connu un asthénique, cadre supérieur en informatique de systèmes de défense, de balistique et de radars. Entouré d'une équipe de cinq «superbolés» en informatique, il contrôlait, dans sa tête, toutes les informations, tous les programmes, tous les réseaux. Je lui parlais de la nature, il me répondait en binaire: bits, puces, erreurs (*bugs*). Il était très précieux pour l'entreprise, mais n'était pas invité souvent dans les *partys* et autres activités sociales.

En psychologie, l'homme pleinement mature est celui qui est à la fois équilibré (être psychologique) et adapté (être social). La combinaison des deux en un mélange harmonieux s'appelle maturité.

Par exemple, Albert, bien qu'adapté à son monde de riches, était déséquilibré. Dans le vrai monde du travail, il devenait inadapté; ce fait lié à ses déséquilibres, son immaturité a explosé.

LA PERSONNALITÉ MATURE

Je cite en entier un poème grandiose de Charles Baudelaire, le prince des poètes: *L'ennemi*. Ce chef-d'œuvre unique exprime, en quelques vers, l'alpha et l'oméga de toute notre réflexion actuelle. Baudelaire, orphelin à sept ans, rejette un beau-père qu'il refuse d'aimer, le commandant Aupick. Toute sa vie d'errance, de bohème et d'abus est une fuite et une recherche de l'absolu.

Avait-il vécu son SAR/AH lors de la mort de son père? Probablement pas. Le refus d'aimer ou d'essayer d'aimer Aupick caractérise l'étape du refus à laquelle Baudelaire est resté accroché. Lisons ce poème, voyons-y la soif de grandeur, le besoin de réalisation de soi, «l'obscur ennemi (ÉMOI) qui nous ronge le cœur». Ce poème, bien lu et bien compris, illustre de façon vibrante l'angoisse liée aux thèmes du bonheur, de la maturité, de l'équilibre et de la liberté d'être.

L'ENNEMI

Ma jeunesse ne fut qu'un ténébreux orage
Traversé çà et là par de brillants soleils;
Le tonnerre et la pluie ont fait un tel ravage,
Qu'il reste en mon jardin bien peu de fruits vermeils.

Voilà que j'ai touché l'automne des idées,
Et qu'il faut employer la pelle et les râteaux
Pour rassembler à neuf les terres inondées,
Où l'eau creuse des trous grands comme des tombeaux.

Et qui sait si les fleurs nouvelles que je rêve
Trouveront dans ce sol lavé comme une grève
Le mystique aliment qui ferait leur vigueur?

Ô douleur, ô douleur! Le Temps mange la vie,
Et l'obscur Ennemi qui nous ronge le cœur,
Du sang que nous perdons croît et se fortifie.

Que pourrait-on ajouter à ce chef-d'œuvre sur le mal de vivre, le mal vivre? On y trouve aussi la lumière vacillante et pourtant vivante de l'espérance: «Les fleurs nouvelles que je rêve…, le mystique aliment…»

Comment peut-on définir la personnalité mature? Voici ma définition basée sur des centaines d'observations: est mature celui qui a réussi à trouver une stabilité sereine et confiante, *adaptée à son environnement;* en même temps qu'un *équilibre intérieur* entre les trois dimensions de l'être – ce que je suis, ce que je fais, ce que je veux – et ce, tout en gardant intacte sa *faculté d'émerveillement* dans ses rapports au monde.

Nul ne peut prétendre être parvenu à la maturité; il s'agit d'un devenir, d'une aspiration qui va, qui vient, qui cherche, qui trouve. C'est le battement lent et sourd d'un cœur confiant qui vit, qui bat et se débat et qui toujours aime la vie, la chérit et l'apprécie. Ce battement de cœur constant prend son sens dans notre faculté d'émerveillement qui nous rend apte à apprécier, à goûter et à remercier la vie.

Il y a six traits caractéristiques de la personnalité mature, par opposition à ce qu'on peut appeler simplement la personne vieillissante.

Ces traits sont les suivants:

1. **Un sentiment de soi bien développé.**
   Se connaître, se comprendre, s'accepter et savoir s'apprécier dans ses forces et ses faiblesses, dans ses qualités et ses défauts.
   «Je suis comme la nature m'a fait et j'aime la nature.»

2. **La capacité d'entretenir des rapports chaleureux avec autrui, en toutes circonstances.**
   Cela s'oppose à ce que j'appelle la tyrannie des émotions. Les immatures et les égoïstes veulent forcer tout le monde à être comme eux. Il faut savoir être bienveillant face aux gens, enthousiaste face aux choses et savoir s'émerveiller des merveilles qui nous entourent.

3. **Une sécurité émotive foncière alliée à l'acceptation de soi.**
   ÉMOI (égoïsme, méfiance, orgueil, insécurité) naît souvent de

l'absence de cet élément. Un enfant rejeté, un employé bafoué, une personne trahie deviendront inquiets et se rejetteront eux-mêmes par le refus d'accepter ce qu'ils sont.

- Sécurité émotive = amour de soi;
- Acceptation de soi = estime de soi.

Voilà ce qu'il faut se dire: «Je suis ce que je suis. Ce n'est pas toujours parfait, mais c'est toujours passable et souvent c'est très correct.»

4. **Une disposition à percevoir, à penser et à agir avec enthousiasme à l'égard de la réalité extérieure.**
La plupart des gens sont bons, la plupart des situations sont très gérables, la majorité de nos amis veulent notre bien, la pluie est bonne, le soleil aussi et tout a un sens caché magnifique. À côté de cela, oui, il y a le malheur, la misère, le doute, la peur. À moi de choisir ce que je veux voir et percevoir de ce monde. Les curés bons et aimants nous parlaient du ciel; les curés frustrés nous parlaient de l'enfer. Les paroissiens bons et aimants écoutaient le premier discours, les autres... eh bien, les autres!

5. **L'auto-objectivation, la pénétration (*insight*) et le sens de l'humour.**
Me voir tel que je suis, sans sévérité excessive mais sans complaisance, me rend capable de voir les autres tels qu'ils sont, dans ce qu'ils sont et ce qu'ils font. À travers cela, un sens de l'humour qui consiste à être capable de rire de soi, de ne pas trop se prendre au sérieux ni prendre trop à cœur ce que les autres pensent de soi. Ce sont là les ingrédients d'un sommeil tranquille.

6. **Une vie accordée à une philosophie unifiante de la vie.**
La congruence ou la cohérence entre ce que je dis, ce que je fais et ce que je fais aux autres est non seulement un signe de maturité mais aussi de sérénité.

- Si je ne souris qu'à ceux que j'aime, je n'aime pas vraiment.
- Si je ne parle qu'à ceux que je trouve intelligents, je ne suis qu'un dominateur.
- Si je valorise uniquement ceux que je crains, je suis une personne anxieuse.
- Si je flatte mes supérieurs et veux être flatté en retour, je ne suis qu'un dépendant émotif et soumis.
- Si je critique les autres et ne veux pas être critiqué, je suis un immature.

- Si je veux être heureux en croyant que cela viendra des autres, je suis un naïf.
- Et si je veux être heureux en croyant que cela viendra de Dieu, je suis un passif.

Ma vie doit être conforme à mes pensées, à mes valeurs, à ma philosophie, et cette philosophie devrait se refléter dans tous mes rapports humains, d'une façon constante et cohérente au travail, à la maison, dans mon cercle de relations. Nous voyons souvent un époux très prévenant et gentil avec les étrangères, mais brusque et inattentif avec sa conjointe. Ce même époux sera un père extrêmement sévère et rude avec ses enfants, mais il donnera la lune au fils de son patron... peu «unifiant», peu édifiant.

L'ÉPREUVE – L'ÉVEIL

«Le succès a transformé bien des vies en un échec et l'échec a été le début de bien des vies réussies.» Pensons un instant à tous ces médaillés d'or aux Jeux olympiques et voyons ce qu'ils disent du choc postolympique. Même les vainqueurs vivent un sentiment d'échec et de vide après les Olympiques. Ils éprouvent, dans l'ensemble, une très grande difficulté à se réadapter à l'ordinaire de la vie; après la première marche du podium, qu'y a-t-il?

Plusieurs de mes clients réussissent, ils occupent la première marche du podium, ils sont admirés, adulés, respectés et craints. Toutefois, lorsqu'ils se trouvent à mon bureau, ils me parlent d'une peur lancinante au ventre, d'une angoisse collante et omniprésente comme une pluie de novembre. Ils développent le sentiment d'être des tricheurs, d'être exploités par la masse anonyme des admirateurs et des pleutres; ils ont souvent le sentiment qu'ils vont craquer et parfois, cela se produit, mais toujours au moment le plus bête, le plus impensable de leur vie.

Voici un joli poème inspiré de ces personnes à succès que j'ai eu la chance de connaître et qui ont connu l'épreuve et, fort heureusement, l'éveil puis la transformation.

L'ARGENT

J'ai connu de ces hommes
Honnêtes, travailleurs,
Charmants, chaleureux,
Sympathiques.

Après dix ou quinze ans
D'un dur labeur,
Travail d'arrache-cœur,

Un heureux coup du sort,
Ils deviennent riches,
Prospères, estimés
Et enviés.
Ils en sont flattés.

Cinq autres années
De passées.
Ces mêmes hommes
Devenus bravaches,
Arrogants,
Despotes envers leurs employés
Qui les ont enrichis.

J'ai compris,
En observant ces nouveaux riches
Devenus paranoïaques,
Que trop d'argent
Insensibilise.
Trop d'argent enlève
La sérénité,
Le détachement,
La paix de l'esprit.

Quand je regarde,
J'ai pitié:
Le succès a transformé
Leur vie
En un échec.

Un vice-président directeur, que j'appelle Simon, illustre parfaitement ce propos. Il venait d'être nommé à son poste, trois mois auparavant. Il dirigeait quelques milliers d'employés, un budget de 800 millions de dollars, sa photo avait été étalée dans différentes revues. Au congrès annuel de tous les dirigeants, au cours de son discours où il voulait parler de «marge de manœuvre» des filiales, un malheureux lapsus s'y glissa: il parla de «marde du manœuvre». Tout le monde rit, sauf lui. En colère, il parla des imbéciles qui rient jaune, mais l'un des vice-présidents respectés, à la table d'honneur, était un Asiatique. Il ne rit pas beaucoup.

Après son discours, sa femme voulut le consoler. Il lui répondit qu'elle ne comprenait rien à la gestion. La réponse de sa femme fut: «Trouves-en une autre qui comprendra; je suis tannée de ton orgueil débile.»

Par la suite, il s'enivra pour oublier, mais les autres n'avaient pas oublié. Sa carrière dura trois mois et son mariage prit fin en même temps. Voyez comme un enchaînement de détails a sapé l'armature du colosse au pied d'argile.

Simon venait d'affronter l'épreuve. L'épreuve, pour Simon, pour Albert, pour nous tous, a toujours ce caractère fou, déconcertant, incongru. Pourquoi Simon n'a-t-il pas ri de son lapsus avec tous ceux qui étaient là et qui l'aimaient? Pourquoi n'a-t-il pas ri avec eux? Parce que depuis longtemps, il ne savait plus rire, la vie était devenue une activité sérieuse, tragique: efficacité, rendement, performance!

Ce que Simon a ressenti au moment de ce lapsus s'appelle une dissonance cognitive, c'est-à-dire qu'il s'est senti dans une situation devenue aussi absurde et non gérable, comme une illusion d'optique. Voici le schéma d'une dissonance cognitive:

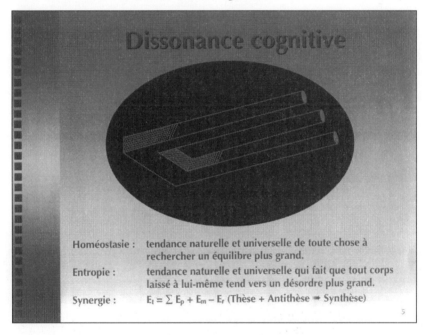

Dissonance cognitive

Homéostasie :	tendance naturelle et universelle de toute chose à rechercher un équilibre plus grand.
Entropie :	tendance naturelle et universelle qui fait que tout corps laissé à lui-même tend vers un désordre plus grand.
Synergie :	$E_t = \sum E_p + E_m - E_r$ (Thèse + Antithèse ➡ Synthèse)

Qu'est-il advenu de Simon? L'épreuve a enclenché brutalement un SAR/AH quasi non gérable: perte de son poste, échec de son mariage, et j'ajoute perte de son prestige et destruction de son image. Il m'a rencontré régulièrement pendant six mois. Il était révolté contre tout, contre tous et contre lui-même. Ayant un ÉMOI très fort, son refus (*refusal*) était tenace; il n'a pas réussi à passer à l'acceptation. Confiné au refus, sa révolte a grandi. Après quinze mois de silence, il m'a rappelé. C'était un homme transformé. Ayant trouvé un nouvel amour et un emploi moins exigeant, l'éveil s'était produit grâce à l'amour d'une femme qui l'aidait vraiment à vaincre ses quatre dragons: égoïsme, méfiance, orgueil et insécurité. Il m'a même parlé de sa conférence catastrophe avec détachement et humour. J'avais l'œil humide de joie en voyant ce miracle.

Épreuve et éveil se côtoient. Souvent, l'épreuve brutale nous réveille de notre vie coulante, confortable, assurée et protégée par les murs de nos certitudes et qui se brise comme un verre fêlé. L'éveil se produit, nos fausses certitudes tombent, la vérité apparaît derrière ces murs illusoires et là, là seulement, chacun regarde, hagard, et choisit de voir ou de fuir.

J'ai connu, un jour, un médaillé d'or olympique. En redescendant de son podium, il a ressenti le vide, la peur, l'illusion de la rumeur encensoir. Il se disait en marchant à la rencontre de ses admirateurs: «Je l'ai fait pour eux, pas pour moi. Mais qui suis-je, moi? Sans cette médaille au cou, m'aimeraient-ils autant?» Voici ce qu'il ressentait à travers les vivats de la foule en délire: «J'étais devenu le champion, le médaillé, je ne me sentais plus en mon corps, je souriais et je riais à la foule. Pendant ces quelques instants, mon esprit, en dehors de mon corps, cherchait avec angoisse ma véritable identité et j'essayais de me reconnaître dans le visage et sur le visage de ceux qui m'encensaient. Je me suis pris à envier le jardinier qui, à la sortie du stade, sifflait en arrosant les plates-bandes.» L'épreuve et l'éveil.

Personnellement, l'épreuve et l'éveil ont transformé ma carrière et ma vie à l'âge de trente ans. Il y a eu par la suite d'autres épreuves suivies par d'autres éveils. Je sais maintenant que le soleil se lève et se couche sur nos vies, que le printemps suit l'hiver, mais libre aux pessimistes de penser que le printemps annonce la boue des rues plutôt que l'éclosion de la vie, et libre à eux de songer que le soleil s'éteindra dans dix milliards d'années.

Le poème suivant, une petite scène de restaurant où rien ne se passe, rien ne se dit, rien ne bouge, et pourtant voyez cette femme au bord de l'épreuve – l'éveil.

SEULE

Attablés au café,
Le nez dans son café,
Allume une cigarette,
Les yeux ailleurs,
Le regard perdu.
Il ne parle pas,
Ne me parle pas,
Ne me regarde pas.

Assis, ensemble,
À cette table,
Sa tête est ailleurs,
Je suis seule, assise.
En face de moi,
Son corps vide,
Vidé de ses pensées
Pour moi.

Je veux lui parler
Un peu.
Son bâillement retenu
Me répond.
Son regard absent,
Son ennui évident.
Je pleure,
Par en dedans.

Je veux crier.
Je suis seule,
Je suis cendre.
Novembre,
Novembre gris,
Triste vie grise.

Va-t-elle se réveiller? Va-t-elle affronter son SAR/AH? Va-t-elle
l'exprimer ce cri, cette déchirure? Si oui, elle est sauvée.

LE COACHING

Le coaching que je concevais et lançais dans les années 1980 est devenu une grande mode et un grand besoin à l'aube du nouveau millénaire.

Quand j'étais directeur de prison, je pressentais que le nouveau drame des organisations serait la solitude, la déshumanisation des relations, la dépersonnalisation, les exigences strictes reliées à la performance. Ce tableau un peu sombre est le lot d'un grand nombre, à divers degrés, à divers moments. Tableau sombre avec des ombres et des clairs-obscurs: version monochrome de la nécessité de «tirer une paie».

Le coaching permet à quelqu'un avec l'aide d'un guide, le coach, d'établir un bilan, sans fausse pudeur ni faux-fuyants de ce qu'il est vraiment avec ses forces et ses faiblesses, de se rendre pleinement compte comment il voit et comment il pourrait voir sa tâche en matière d'avantages et de limites et, enfin, de comprendre comment il se situe dans son environnement professionnel et humain, avec les contraintes et les possibilités propres à cet environnement. Une image vaut mille mots!

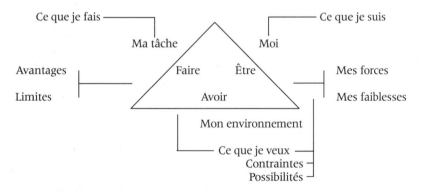

Coacher quelqu'un, c'est donc une exploration de vingt à trente heures au sein du réseau complexe de ses aspirations, de ses réalisations, des perceptions qu'il a de lui-même, de sa tâche, de son environnement. Cette exploration ne se fait pas à partir des sentiers connus et illusoires de la rationalisation, de la justification, de l'intellect et de la logique froide. Non, c'est une prise de conscience profonde basée sur la compréhension de soi qui implique la totalité de l'être: cœur, esprit, âme, et même le corps, ce véhicule de nos vies que nous soignons parfois si mal parce que nous l'apprécions si peu.

À titre d'exemple, voici quelques techniques originales propres à ma méthode.

1. Chaque entrevue d'échanges et de réflexion dure quatre heures. Le mobile: une fatigue pacifiante après une heure ou deux fait en sorte que le client cesse de se voir et de voir à travers ses mécanismes de défense. Il se perçoit à partir de ses sentiments et émotions les plus authentiques, les plus sincères et, partant, les plus profondes.

2. Nous pouvons échanger calmement et sereinement pendant ces quatre heures intenses, dans la détente, sans que jamais je ne demande: «Pourquoi?» Le pourquoi force les gens à raisonner, à argumenter, à se justifier, à se défendre. «Pourquoi êtes-vous ici? Pourquoi dites-vous cela? Pourquoi voulez-vous changer?» Après une heure de ces pourquoi durs, je n'aurais plus de clients. Avec bienveillance et bonté, je m'adresse au comment des choses: «Comment voyez-vous cela? Comment voyez-vous votre style, votre impact?»

3. La forme de communication que j'utilise en coaching en est une d'investigation, d'exploration, de découverte. Par exemple, un nouveau client me disait qu'il venait me voir pour améliorer ses communications. D'autres lui auraient demandé: «Pourquoi?» Je lui ai demandé: «Dans quel but voulez-vous améliorer vos communications?» J'aurais pu aussi lui demander: «Comment voyez-vous vos communications actuellement?» Ou encore: «Quel aspect souhaitez-vous améliorer le plus?» Voyez-vous, il existe mille et une manières d'explorer sans utiliser le fatidique pourquoi.

Voilà quelques techniques qui démontrent la profondeur et la subtilité de l'approche que j'utilise en coaching.

Au-delà de ces techniques fines, ce qui donne à une rencontre de coaching sa force et son impact, ce seront d'abord les qualités personnelles d'écoute, de respect, de bonté, d'ouverture et d'amour inconditionnel de l'autre de la part du coach.

À la limite, si je me sens perturbé, agacé et dérangé par la personnalité trop carrée d'un client, je refuserais de le coacher... et cela s'est produit quelques rares fois.

À ce sujet, voici une anecdote amusante. Un des hommes dont j'admire le plus le style de gestion et ses communications m'a téléphoné un jour. Il voulait être coaché pour raffiner ses communications. À la première rencontre, je lui ai expliqué qu'il me serait difficile de le coacher en raison de mon admiration pour lui. Voici sa réponse: «Ce n'est pas grave, je vais vous aider... Quand vous allez mieux me connaître, vous allez beaucoup moins m'admirer.» N'est-ce pas merveilleux, ces miracles de simplicité?

Force et impact d'une rencontre. En coaching, les rencontres doivent avoir la force d'un pouvoir transformant: une transformation désirée par le client, souhaitable par ses proches et réalisable dans son environnement.

Il faut que le client veuille changer, il faut qu'il le puisse et il faut qu'il ait le soutien de son entreprise. Les trois conditions réunies, le coaching débute.

Le but devra être un changement désiré et voulu par le client lui-même, et le résultat sera un changement observable, stable et permanent.

Derrière le désir puissant de celui qui veut changer profondément, se cache une vieille douleur qui a été réveillée en sursaut par un SAR/AH. L'éveil est souvent le résultat d'une douleur bien camouflée, réveillée brutalement par l'inattendu, le choquant, l'inacceptable: l'épreuve.

Vous arrive-t-il de croiser un étranger et, sans aucune logique, vous sentez monter en vous une répulsion, la panique et même de la haine? Eh bien, par réminiscence, il vous rappelle inconsciemment un être ou un événement douloureux et haï de votre passé, souvenir enfoui ou refoulé dans les replis secrets de votre cortex! Cela illustre ce que nous appelons une douleur de l'âme. Imaginez que cet étranger devienne votre nouveau patron; l'épreuve ou l'éveil est proche.

Je me crois aimé et estimé de tous mes collègues. Aux toilettes, on ne me voit pas et j'entends deux de mes meilleurs collègues en train de me critiquer tout en se moquant de l'un de mes travers:

dissonance cognitive. L'écart entre ce que j'entends de moi par rapport à ce que je croyais est tellement grand que je me mets à penser très vite et je passe par toute une gamme d'émotions vives: surprise, colère, peur, frustration, dégoût. En ces courts moments, je voudrais les injurier, les battre, les humilier à mon tour, je voudrais leur remettre ce qu'ils sont en train de me faire.

La dissonance cognitive est le phénomène de deux séries de valeurs ou d'opinions qui s'entrechoquent brutalement et de façon inattendue, culbutant notre système de croyances. Dans cet exemple, s'entrechoquent ce que je pensais savoir de moi et ce qu'en disent deux collègues estimés. Ce sera un petit SAR/AH ou un grand SAR/AH selon ma force personnelle, mes valeurs, mon estime de ces deux personnes. L'épreuve entraîne toujours un SAR/AH qui peut se cristalliser en refus ou amener l'éveil. Pour bien vivre l'éveil, il faut avoir accepté (*acceptance*) la réalité dans toute sa dureté. Je ne choisis pas mes cartes au poker, mais je choisis comment je les joue.

J'avais une cliente, Louise, directrice spécialisée en informatique pour une institution financière. Estimée et considérée comme compétente et experte par tous, elle a vécu cette expérience des murmures de toilettes, d'entendre à travers la cloison du cabinet une autre directrice et une de ses employées la traiter de «grande ambitieuse qui avait poussé en orgueil, comme une échalote». Or, ma cliente mesurait tout près de 1 m 85 (6 pi 1 po). Elle pleura longtemps en silence dans le cabinet, n'en croyant pas ses oreilles. Elle était celle qui avait favorisé la promotion de cette collègue.

Épreuve et éveil à la suite d'une dissonance cognitive. Louise, bien dans son corps et dans son cœur, est devenue une femme épanouie et une directrice grâce à ce bavardage de coulisses. Inconsciemment, elle n'avait jamais accepté sa grandeur. Grâce à l'éveil, elle a découvert son complexe, elle s'est rendu compte que des gens, dont son mari, l'appelaient «ma grande», que sa mère lui demandait souvent de rester assise au bureau et que, par taquinerie, on lui donnait une chaise basse. Elle s'est aussi rendu compte qu'au collège, elle avait peu de copains mais d'excellentes notes et qu'elle fuyait toujours les hommes plus petits.

C'est cela l'éveil. Découvrir, comprendre et accepter ce que, jusque-là, on cache sous l'illusion de la réussite, de la performance, de l'argent. Elle a découvert aussi que les gens l'aimaient réellement, mais que quelques envieux (sa collègue, entre autres) la taraudaient à propos de sa grandeur pour garder la main haute sur elle.

Aujourd'hui, Louise s'aime telle qu'elle est et elle peut maintenant aimer mieux les autres, libérée d'elle-même. Elle est encore
grande, mais comme elle le dit si bien et avec un sourire: «Je ne peux
tout de même pas me couper les jambes, alors je «fais avec». Encore
chanceuse d'avoir tous mes morceaux.»

Trois mois plus tard, Louise a donné une rétroaction bien claire
et bien préparée à cette collègue. Cette dernière a été transformée
peu à peu par cette rétroaction, après avoir vécu son SAR/AH. Elle a
reconnu envier le mariage heureux de la grande Louise, alors qu'elle
allait de déboires en désillusions dans ses relations. Elle a même
ajouté: «... et pourtant je suis attrayante.» Elle a commencé à reconnaître sa propre illusion grâce à la rétroaction de Louise.

Le bien et le mal, comme le vrai et le faux, ne sont jamais blancs
ou noirs, mais toujours l'objet d'un subtil et complexe mélange de
demi-teintes, de dégradés sans frontières, très flous, peinture monochrome, souvent élaborée en trompe-l'œil. Les philosophies chi-
noises illustrent cela par le yin et le yang, deux serpents lovés, l'un
noir, l'autre blanc, avec l'œil de la teinte contraire, enfermés dans le
cercle de la vie éternelle.

C'est cela le coaching. Le cadre, supérieur ou non, comme vous
et moi, cherche le bonheur. Souvent, cette recherche se fait dans le
confort douillet de ses certitudes, alors que l'éveil exige un effort de
la volonté, de l'esprit, du corps même. Blanc et noir, bien et mal, vrai
et faux... effort ou confort?

Entre les extrêmes d'un effort permanent et têtu et d'un confort débile, le juste milieu pour atteindre l'équilibre humain est un
effet de tension entre l'acceptation de l'effort nécessaire pour créer et
recréer un confort psychologique stable.

Nous débutions par le thème de la liberté, ajoutons qu'il ne
peut y avoir de liberté que dans l'acceptation des contraintes.

L'enfant capricieux et gâté ne saura pas choisir librement ce
qu'il lui faut pour réaliser ses aspirations; n'ayant pas été entraîné à
l'effort, il croulera dans le confort factice. Voyez d'ailleurs les crises de
l'enfant gâté-gâteux qui fait sa crise de nerfs devant la moindre contrainte. Il n'est pas à blâmer mais à plaindre; nous, les parents, ne
sommes pas à plaindre face à cela, mais à blâmer.

J'ai déjà observé un enfant de six ans, fils unique de parents
aisés, lui, psychiatre, elle, psychologue, à Noël. Il avait à lui seul environ vingt à vingt-cinq boîtes à ouvrir. Il arrachait rageusement

rubans, boucles, papiers. Une fois son cadeau éventré, il le lançait au loin dans un fatras triste. Il jeta la sixième boîte vers sa mère et lui dit: «Continue de les ouvrir, toi, je suis fatigué.» C'est encore ça, la pauvreté de l'Occident.

Ces parents «éclairés» pratiquaient l'éducation dite libre, l'éducation sans contrainte. Comment cet enfant triste pouvait-il savoir ce qui est bien, puisqu'on ne lui disait jamais ce qui est mal? Voyez la scène. Il a six ans à peine et il refuse l'effort simple d'ouvrir ses propres cadeaux. L'apothéose de cette scène déprimante: le papa trouvait tout cela bien comique. Cet enfant, au fond, demandait en un silence déchirant, en un cri étouffé, de ressentir l'amour de son papa, de sa maman.

Pour faciliter une meilleure compréhension de l'univers mental de l'enfant par rapport à celui de l'adulte, voici un aperçu des différences de pensée et de vision chez l'enfant – l'adulte face aux mêmes besoins d'aimer, de créer et de comprendre.

VISIONS	D'ENFANT	D'ADULTE
L'humilité	Vous lui faites des compliments sur un succès, il se sent simplement heureux d'être aimé.	Vous lui faites des compliments sur un succès et il ressent une grande gratitude pour ceux qui l'ont aidé à réussir.
La confiance	Il se jette dans vos bras, certain que vous allez l'attraper.	Il se confie à vous avec simplicité, sans vous faire jurer cinq fois de ne rien dire à personne.
La peur	Caché sous son lit, il espère que papa n'entrera pas à la maison.	Quand il crie que personne ne le comprend.
L'amitié	Deux enfants qui rient ensemble en se regardant.	Deux personnes qui se regardent en riant.
La pudeur	Le petit garçon qui s'éloigne un peu parce que son ami pleure. La petite fille qui pleure parce que son ami pleure.	L'homme qui pleure devant un film s'en va aux toilettes. La femme qui pleure devant un film réprime son envie d'aller aux toilettes.
La générosité	L'enfant qui donne une sucette à son ami n'attend pas le mot «merci».	Celui qui aide un inconnu sans lui dire son nom, simplement heureux de se sentir meilleur.
La charité	Il donne son seul chocolat au petit voisin qui a du chagrin.	Offrir à un voisin dans l'épreuve de tondre sa pelouse, sans lui parler de quoi que ce soit.

L'égoïsme	Il refuse de donner son chocolat bien qu'il n'aime pas cette sucrerie.	Exiger que son conjoint s'adapte à toutes ses humeurs, à ses goûts et à son rythme à lui.
Le mensonge	Quand il a peur ou qu'il n'aime pas un adulte.	Quand il veut flatter ou protéger son orgueil.
La colère	Quand on lui a menti (colère) et que l'on en rit (double colère).	Quand il a peur et qu'il se sent impuissant.
La bonté	Il offre un bouquet de pissenlits à sa mère triste.	Il offre une oreille attentive à sa femme triste.
La beauté	La première neige: tout ce blanc le surprend et le ravit. Surprise et ravissement: joie des enfants.	Une biche confiante qui vous regarde.
La culpabilité	Vous êtes triste, il pense que c'est sa faute.	Une colère tournée contre lui-même.
Le plus compliqué	Des parents qui changent tout le temps les règles de conduite. La météo. L'argent.	Communiquer. L'argent. Vivre seul / Vivre à deux.
La plus grande illusion	Croire que la vie est simple.	Croire que la vie est compliquée.
Le plus grand bonheur	Des parents qui s'aiment.	Des enfants qui aiment leurs parents.
La plus grande peur	Répondre à la question: «Aimes-tu plus ton papa ou ta maman?»	Être critiqué.
Le plus grand défi	Réconcilier ses parents qui se chicanent.	Se réconcilier avec son enfant rebelle.
L'honneur	Ne pas trahir le secret de son copain.	Exécuter avec enthousiasme un engagement qu'il a pris pour un ami même s'il n'a ni le temps ni le goût de le faire.
Le manque d'honneur	Rejeter un copain pour plaire au plus costaud du groupe.	Réutiliser les confidences d'une personne contre elle-même,
Les trois secrets pour aider...	L'aimer, le comprendre et le respecter.	Le respecter, le comprendre et l'aimer.
L'impuissance	Sentir trembler sa mère parce qu'elle a peur de son papa.	Voir son enfant souffrir en n'ayant ni solution ni remède.

* * *

Nous avons visité brièvement des galaxies au sein de notre univers mental: liberté, bonheur, transformation, maturité, épreuve et éveil.

Cela nous a permis d'explorer quelques soleils dans ces galaxies: SAR/AH, ÉMOI, CHEF, estime de soi, dissonance, adaptation, VIE.

Pour effectuer ces voyages cosmiques à la vitesse des mots écrits, j'ai bâti un navire spatial à partir des milliers d'avis et de conseils que m'ont prodigués mes clients: le coaching. Au fond, je vois chaque nouveau client comme une nouvelle planète à explorer, à découvrir. Et la vie m'a démontré que la plupart des planètes sont belles, hospitalières, généreuses et uniques.

Prenez le triangle de la personne, n'est-ce pas un cosmos en soi?

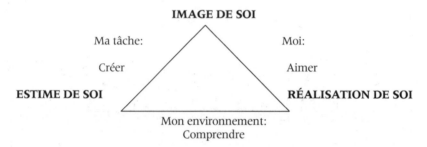

Cette architecture interne de l'être humain, cette architecture universelle fera l'objet de la deuxième partie de notre voyage.

PARTIE II

LA PSYCHOLOGIE
DE LA PERSONNE

LE MOI

Chacun de nous, à l'instar de l'atome ou de l'œuf, est composé de différents éléments dynamiques déterminant une structure à trois niveaux: le moi profond, le moi intime, le moi social.

- L'œuf: le jaune, le blanc, la coquille;
- L'atome: les protons, le photon, les électrons;
- L'amibe: le noyau, le plasma, la membrane;
- L'humain: le moi profond (moi), le moi intime (ego), le moi social (surmoi).

    la personne   la personnalité   le personnage

Le chiffre 3 est peut-être le chiffre de la vie; en voici des exemples:

- Corps, esprit, âme;
- Aimer, créer, comprendre;
- Moi, ma tâche, mon environnement;
- Le Père, le Fils, le Saint-Esprit;
- Eau, air, lumière;
- **V**italité **i**ntérieure qui s'**e**xprime = **VIE.**

Revenons-en au triptyque: moi, ego et surmoi. Cela détermine le contenu du triangle personnel. Simple comme... l'œuf de Colomb!

Le moi, le ça, disait Freud, eh bien, c'est le vrai moi, c'est ce que je suis de façon intrinsèque, c'est-à-dire abstraction faite du milieu, de la famille, de l'éducation, du social! J'oserais dire que c'est l'essence même de chaque personne, le tempérament. À la naissance, nous sommes déjà un être entier, unique, semblable et pourtant différent. Nous venons au monde avec un tempérament, et cette réalité est d'une simplicité désarmante. Les tempéraments, architecture de base fort simple, sont au nombre de quatre.

Illustrons cela par le schéma suivant:

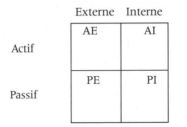

AE: Actif externe
AI: Actif interne
PE: Passif externe
PI: Passif interne

Le poupon, à sa naissance, a déjà une structure cérébrale et mentale, l'ébauche d'un tempérament. Cet enfant sera soit interne ou externe, soit actif ou passif, à divers degrés, mais cela se situera toujours quelque part au sein de cette architecture.

Donc, il y a quatre tempéraments possibles et leurs variantes, selon un continuum:

1. actif externe;
2. actif interne;
3. passif externe;
4. passif interne.

L'axe actif-passif est celui de l'activité, l'axe externe-interne est celui de la relation aux autres. Toute vie humaine comprend ces deux axes: des activités (loisirs, travail, voyages, études) et des relations humaines.

Sur l'axe de l'activité, l'enfant actif aime s'occuper, jouer, bouger, se déplacer, courir. Ne rien faire le fatigue et, le tempérament étant fixe, cela demeurera tel quel chez cet enfant devenu adulte. L'enfant passif aimera se concentrer longtemps sur la même activité, il sera «sage comme une image», plus lent à se déplacer, ses gestes seront calmes, mesurés, et il en sera ainsi dans sa vie adulte.

Sur l'axe de la relation, l'enfant externe aime les contacts humains en général, il est expressif et spontané; il aime les caresses, les cajoleries, l'affection. Il aime «être dans nos jambes». L'enfant interne est lent à se familiariser avec les gens, il craint les nouveaux contacts; il est davantage solitaire, préférant un nombre restreint de contacts, mais intenses. Il reste «collé à sa maman». Timide et réservé, c'est «notre petit gêné».

Le moi intime, profond, ne se réduit pas à un inconscient refoulé comme on le croyait à l'ère victorienne; c'est une architecture merveilleuse par sa simplicité et... par sa complexité.

Voici une courte explication des quatre tempéraments.

L'*actif-externe* (l'influent) est plutôt spontané, entreprenant, sociable, communicatif, impulsif. Il a un besoin aigu d'être aimé et d'influencer les gens. Il est dynamique, émotif, expressif. Cette personne se réalise souvent très bien en sciences humaines, dans les arts, la vente, les métiers d'expression et de communication. Imaginons cet actif-externe chercheur scientifique isolé dans un laboratoire. Il y aurait probablement une inadéquation entre son moi profond et son choix de carrière, entraînant frustrations puis déséquilibre et, enfin, inadaptation à l'environnement conduisant au rejet: l'épreuve.

L'*actif-interne* (le conciliant) se caractérise généralement par une grande intensité intérieure, une stabilité émotionnelle, très engagé dans la tâche (l'activité). Il est l'homme des projets, des défis, il a peu d'amis mais bien sélectionnés, il est fidèle en amitié, stable en amour. Il écoute plutôt qu'il ne parle et il ne court pas de chances inutiles. Caractère compulsif, il peut accumuler longtemps, mais gare à l'explosion! Sensible et susceptible, il exprime peu ses émotions et seulement lorsqu'il se sent très en confiance. L'actif-interne a souvent de grands talents de conciliateur grâce à sa pondération et à sa tendance naturelle au compromis. Il réussit fort bien dans les professions techniques qui demandent dextérité, précision et qui représentent des défis techniques: chimiste, ingénieur, dentiste, pharmacien, médecin...

Le *passif-externe* (l'entrepreneur) se caractérise généralement par une grande habileté à faire faire plutôt que faire. Inventif, habile, direct, il déteste les règles. C'est un excellent négociateur; ce qui l'active, c'est la nouveauté, le défi. Il aime sortir des sentiers battus, le «jeu» du risque. Innovateur, il déteste la routine, il aime influencer les autres, parfois même les manipuler. C'est un «paresseux scientifique», il cherche des raccourcis, de nouvelles façons de faire et, travailleur, il peut passer des semaines à chercher des moyens pour épargner du temps, d'où son esprit inventif, créatif. C'est souvent un entrepreneur. Une idée risquée lui vient, il bâtit, sait s'entourer, bâtit l'entreprise, en fait un succès, il la vend et... il recommence.

Je suis de ce type de tempérament. Peu travaillant, je me considère comme très vaillant: sortir des sentiers battus, relever des défis plutôt que la routine, très brouillon dans mes affaires personnelles et toujours prêt à me faire le défenseur de l'opprimé.

Le quatrième type est le *passif-interne* (le rationnel). Facilement méfiant, ayant de la difficulté à communiquer, c'est le tempérament du cérébral, du logique, maître du pourquoi, du «qu'est-ce que tu veux dire?». Il est très fidèle, très stable, d'une grande intégrité, respectueux de l'ordre, de la méthode. Pour lui, la parole – et il parle peu – est sacrée. Bébé, il ne jouait pas avec son camion de pompier; son jeu consistait à démonter son petit camion et à le remonter. Il réussissait même à se faire un garage avec la boîte. Tenace, curieux, il aime s'intéresser à tout, mais scientifiquement. Il excelle dans les tâches très spécialisées, dans les sciences exactes: comptabilité, finances, actuariat, droit international, chirurgie, enquête. Imaginons cet individu exerçant un métier de vendeur, l'inadéquation serait vite criante. Pour lui, souvent, le bruit l'exaspère, les foules le dérangent, les gens exubérants lui paraissent superficiels.

Il faut de tout pour faire un monde. Tous les tempéraments sont également nobles, valables et bons, mais il faut se développer et évoluer dans le respect de ce que nous sommes. Chacun doit évoluer dans la ligne de son être. Un individu qui poursuit des aspirations trop éloignées de son moi profond ressentira vite cette douleur, inconfortable au début puis, petit à petit, angoissante.

La morale: laissons nos jeunes enfants choisir leur devenir, ne voulons pas à leur place, souhaitons simplement qu'ils soient heureux et, pour ce faire, cessons de leur pomper l'air avec nos morales de bois.

Le moi profond, dès la prime enfance, perçoit les pulsions, les stimuli de l'environnement familial. Le bébé grandit et fait l'apprentissage des règles, des valeurs et de la culture de sa famille proche, à travers le langage, nos propres relations de couple; bref, il se socialise.

Son ego (son moi intime) se développe. Il capte des sons, des messages, il ressent, il sent, il perçoit et réagit. Son caractère s'affirme; il teste, vérifie nos réactions et s'ajuste. Il s'adapte.

Ajustement et adaptation, système binaire des premiers apprentissages et de l'affirmation de soi, de l'ego. Dans un milieu familial hostile et défavorable, l'ego de l'enfant connaîtra ses premières épreuves, non gérables à quatre ans, et se développera comme une plante fragile privée d'air, d'eau, de lumière. L'ego sera comprimé plutôt qu'exprimé. Si cette petite personne a un tempérament passif-interne, elle ne se révoltera pas, ce n'est pas dans sa nature (moi intime); elle se repliera plutôt vers la soumission passive. Si elle a un tempérament actif-externe, elle ne se repliera pas, mais elle développera son moi intime agressif, hostile, conforme à sa nature profonde (moi profond).

À l'opposé, si le petit enfant connaît un environnement familial créatif, aimant, ouvert, son ego s'exprimera, s'épanouira. Ajustement et adaptation se feront harmonieusement, l'ego (moi intime) et le moi (moi profond) croîtront en harmonie et en synergie. L'enfant actif-externe sera vif, enjoué, rieur et il développera un caractère confiant.

Je suis né dans un milieu familial assez pauvre avec sept frères et sœurs gentils et des parents aimants. Cela n'a pas changé mon tempérament passif-externe, mais ayant été aimé, j'ai développé pleinement un caractère altruiste. Dans un milieu familial oppressant, j'aurais gardé un tempérament passif-externe, mais j'aurais développé un caractère agressif.

Le tempérament est quasi immuable à la naissance; lors de la socialisation familiale et préscolaire de l'enfant, il acquiert un caractère qui se fixe à l'adolescence, difficilement mobile par la suite. C'est l'acquisition d'un ego personnel (moi intime) que l'on appelle souvent le caractère ou la personnalité: personnalité conciliante, ouverte, agressive, méfiante, confiante ou soupçonneuse.

On compte globalement seize types de caractère dont les typologies varient, mais l'on revient toujours à ce chiffre et c'est d'une mathématique simple. Quatre tempéraments de base et leurs variantes sur un continuum se traduit ainsi: $4^2 = 16$. Quatre tempéraments avec les positions intermédiaires [tempéraments mixtes: caractéristiques des personnes qui, selon les situations, peuvent concurremment être (AE» AI) ou (AI» PI) ou (PE» PI) ou (AE» PE)] donnent seize types de caractères.

Est-il nécessaire de connaître tout cela pour réussir sa vie? Non pas. Les passionnés des sciences humaines, de l'humain, les gestionnaires, les chefs d'entreprise, les spécialistes des relations d'aide, eux, se doivent de connaître et, surtout, de comprendre l'humain. Cela nous rend plus tolérants, plus compréhensifs. Une extrême compréhension conduit à une extrême tolérance. «Il faut être un peu trop bon de peur de ne pas l'être assez.» Cette phrase de Marivaux a immortalisé sa pièce *Le jeu de l'amour et du hasard*.

Lorsque j'étais tout jeune, quelqu'un m'a dit ces mots: «En cas de doute, fais ce que tu crois être *bon*, *juste* et *vrai*.» Ma mère disait autrement: «Écoute ton cœur.»

Quand je mène une entrevue dans laquelle le client me présente une situation à la fois complexe, délicate, difficile à déchiffrer, avant de me prononcer, je me rappelle ces mots: le bon, le juste et le vrai. Devant un client hostile, négatif, blessé et blessant, cynique, «j'écoute mon cœur», non pas mon impulsivité. «Il faut être un peu trop bon de peur de ne pas l'être assez.»

Le coaching, c'est mon véhicule spatial avec lequel je me déplace dans le labyrinthe des âmes, des cœurs blessés.

Le coach se doit d'avoir une saisie directe, immédiate, instinctive de l'âme profonde (moi profond) et du cœur ulcéré (moi intime) parce que ces deux zones fragilisées par le mal, les choix, les coups, les espoirs déçus, ont appris à se protéger par un bouclier puissant, celui des mécanismes de défense. Les mécanismes de défense – il y en a onze – protègent instinctivement et instantanément nos moi profond et intime (l'essence et le cœur de l'être), et ce, à la vitesse d'un flux électrique. Ces mécanismes seront énumérés et brièvement expliqués à la page 92.

Il reste l'autre moi, le moi des autres, le moi social, appelé le surmoi.

Le surmoi, c'est l'image que je projette, que je crois projeter ou que je veux projeter. À la suite de la somme de mes expériences de vie, heureuses et malheureuses, par un dialogue secret entre mes trois zones, le surmoi se forge et forge mon être social. Si je ne peux devenir ce que je suis (moi profond), je deviens ce que je peux (moi social).

Le moi social, à mes yeux et au regard des autres, est composé de la somme de tous mes comportements, de mes paroles, de mes actions, de mes activités humaines, de mes communications, tels que vus et interprétés par les autres. Mes comportements comprennent toutes mes manières de faire, d'agir et de m'exprimer dans mon environnement, et ce, à tout instant de ma vie; c'est ma manière d'être au monde. Seul au fond de la forêt, j'ai encore un surmoi. Il est moins stimulé, mais il continue d'être actif par la pensée et la mémoire; je pense à une réunion difficile à venir, à un ami, à mon bureau, à mes partenaires, à mes enfants, à mes parents.

Être capable d'arrêter, de prendre un temps d'arrêt, d'éviter de vivre dans le passé ou au futur, cela veut dire que l'on cesse de trop suractiver le surmoi. Le bonheur et la sérénité s'obtiennent non pas par la perfection, mais par l'équilibre entre les trois zones du moi. Toutes les douleurs de l'âme proviennent d'un déséquilibre à l'intérieur de notre «œuf cosmique», le surmoi suractivé qui dévore l'ego, un ego tellement fort, puissant, renforcé (syndrome du bon garçon) que le moi profond étouffe alors que le surmoi projette l'image d'un soumis-passif. Voici d'autres exemples. Une personne qui vit seulement en fonction de son image sociale finira par s'évaluer uniquement à partir de ce que l'on pense d'elle et de ce qu'elle veut qu'on pense d'elle. Où est la liberté en cela?

Quand l'écart devient trop grand entre ces trois dimensions de ma personne, la blessure s'installe, la douleur sourde ressurgit ici et là. Je peux m'étourdir, je peux m'enivrer de désirs, de rêves, je peux m'en prendre aux autres, je peux même réussir, mais l'aiguillon du souvenir oublié me pique et, un jour, un incident, un lapsus ou une scène incongrue fait s'enclencher l'épreuve.

Quel est ce souvenir oublié? Peut-être nous sommes-nous sentis mal aimés, non désirés ou peut-être avons-nous toujours senti que notre frère cadet était mieux et plus aimé que nous? Cela peut être vrai ou faux. Qu'importe! Ce qui marque nos trois moi, c'est ce que nous ressentons et croyons profondément (moi profond), intimement (moi intime). Une brisure dans l'harmonie des trois moi peut provenir d'un incident imaginé aussi bien que d'un incident réel. Dans les deux cas, la brisure demeure tout aussi douloureuse.

Voici vingt exemples de choses à ne pas dire ou à ne pas faire à son enfant, pour éviter ces déchirures de l'âme qui ne sont pas toutes mortelles, Dieu merci!

CHOSES À NE PAS DIRE OU FAIRE À VOTRE ADOLESCENT

1. Lui mentir.
2. Se moquer de ses amis.
3. Lire son journal personnel ou son courrier.
4. Fouiller sa chambre.
5. Se chicaner en sa présence.
6. Exiger qu'il soit le meilleur.
7. Le comparer à ses frères et sœurs.
8. Le forcer à tout prix à être gentil avec ses oncles et tantes.
9. L'humilier ou le traiter avec arrogance.
10. Le menacer de lui faire prendre la porte.

11. Trahir nos promesses.
12. Le culpabiliser face à des difficultés.
13. Se vanter de nos mauvais coups d'adultes devant lui.
14. Faire le sourd à ses questions.
15. Lui dire qu'il nous coûte cher.
16. Tenir un langage grossier ou injurieux en sa présence.
17. Se moquer ou ridiculiser les autres.
18. Se plaindre continuellement de tout.
19. Passer le souper et la soirée devant la télévision allumée.
20. Le réveiller brutalement ou avec des cris.

Moi profond = moi	= la personne	(tempérament)
Moi intime = ego	= la personnalité	(caractère)
Moi social = surmoi	= le personnage	(comportements)

Chez celui ou celle qui vit un SAR/AH et reste figé à l'état du refus (R), l'orgueil et l'insécurité (deux dragons) s'incrusteront en son moi profond, dans les replis du tempérament. Puis, le succès, l'argent, la réussite arrivant, deux nouveaux dragons s'installeront (égoïsme et méfiance). Le moi profond sera comprimé, étouffé par un surmoi gonflé et obèse de ses propres illusions de réussite. L'ego (moi intime) aura vu sa structure affectée et modifiée par la pression interne des quatre dragons, et l'individu sera devenu, aux yeux des gens, superficiel. Lui seul continue de penser qu'il est aimé de tous, alors que tout au plus, il est envié ou admiré. De plus en plus, il se sent seul, isolé parmi la foule de ses flatteurs. Mais son moi profond lui envoie des signes, il dérange l'édifice des certitudes par de petites piqûres, par une douleur drue, profonde et persistante.

Rappelons le cas de Simon, ce vice-président directeur, notre colosse au pied d'argile dont la vie s'est effondrée par un simple lapsus. Freud voyait d'ailleurs dans les lapsus comme un cri de l'inconscient (moi profond). Personnellement, je ne crois pas que le moi profond soit si inconscient qu'on le dit, mais il est souvent refoulé et bafoué par une vie trop vite, trop débordée; vie trépidante, dévorante et peurs lancinantes.

Quand je coache une personne, durant la première heure, le vide, le repos, la paix, la détente consciente s'installent. À la deuxième heure, le surmoi se désactive complètement, plus de jeu, plus de justification, plus de rationalisation tordue. L'ego s'éveille à lui-même; je vois naître une candeur, une bonté, une humilité dans l'œil du client. À la troisième et quatrième heure de la rencontre, la personne me parle et s'écoute à travers son ego et, petit à petit, elle entend son moi profond qui, enfin, se libère et indique totalement et clairement où se situera son équilibre.

Selon mes observations, le tempérament forme l'architecture même du contenu du cerveau à la naissance, selon les deux axes relation-action. Le tempérament déjà préformé deviendra le creuset de l'élaboration du caractère, qui se développera et se modélisera en regard des premières expériences familiales, positives ou négatives. Le caractère, assez tôt dans nos vies (trois à douze ans), acquerra ses caractéristiques fondamentales qui resteront mobiles, mais difficilement muables. Les comportements refléteront par la suite notre personnalité ou la masqueront. Il faut bien se rappeler que le caractère, quel que soit l'environnement familial, se développera en conformité avec le tempérament de base.

LES VALEURS

Tempérament et caractère sont un reçu de l'environnement et forment le moi profond (personne) d'une part et le moi intime (personnalité) d'autre part, tandis que le surmoi (personnage) est la partie adaptative de l'être. Le surmoi fluctue, change, projette, perçoit, se protège, s'adapte continuellement aux stimuli de l'environnement.

Moi profond et moi intime sont protégés par une enveloppe bien connue en psychologie et appelée les mécanismes de défense, au nombre de neuf à onze, selon les auteurs. Ils sont répartis en mécanismes de défense directs et indirects : négation, projection, introjection, déni, rationalisation, identification, détachement, formation réactionnelle, transfert, sublimation, refoulement. (Il faut lire à ce sujet le beau et simple livre d'Anna Freud : *Le moi et ses mécanismes de défense*, PUF, 1949.)

Face à une attaque perçue par le moi intime, s'enclenchent instantanément des mécanismes de défense qui peuvent être de trois ordres : l'attaque (projection, transfert, identification), la fuite (sublimation, négation, introjection, refoulement) ou le compromis (attente, analyse, recherche de solutions). Les mécanismes de défense sont une réalité positive et essentielle de la personnalité équilibrée. Ce sont des mécanismes de régulation et d'adaptation à la réalité extérieure. Des troubles pathologiques résultent d'ailleurs du dérèglement de ces mécanismes. Le paranoïaque, par exemple, est un individu dont les mécanismes de défense demeurent toujours enclenchés, même quand il est seul au fond de son sous-sol. La blague classique à ce sujet est celle-ci : quand un paranoïaque voit la discussion des joueurs de football à la télé, il croit que les joueurs complotent contre lui. Blague un peu triste, puisqu'il s'agit d'une maladie atrocement souffrante. À l'opposé, la schizophrénie se caractérise par l'absence complète de mécanismes de défense. On dit des schizophrènes qu'ils sont déconnectés de la réalité, ce qui est faux.

Seulement, leurs mécanismes de défense sont totalement inopérants. C'est comme un individu qui serait privé de peau. J'ai connu quelques individus schizophrènes et j'ai été bouleversé par leur intelligence exceptionnelle combinée à une souffrance innommable.

À la naissance, chaque être humain a déjà un cerveau doté de sa propre structure. Très tôt, le bébé, grâce à ses sens qui s'éveillent, capte son environnement selon des schémas binaires très globaux: douleur ou confort, joie ou peine, sécurité ou insécurité, doux ou dur, attraction ou répulsion, mou ou ferme... Tout comme le petit des races animales, il développera les rudiments de son caractère en fonction de ses expériences primaires. Là s'arrête la comparaison évolutive entre le jeune enfant et le jeune mammifère. L'enfant continue son évolution en acquérant un système de valeurs personnelles. Il développera ensuite des attitudes et des comportements relatifs à ces valeurs, mais conformes à son tempérament-caractère.

Voici un schéma bien simple pour illustrer l'architecture de notre univers individuel:

Tempérament → caractère → valeurs → attitudes → comportements: T – C ↔ V → A – C.

Le schéma illustre par les deux grandes flèches que la plaque tournante entre le ce-que-je-suis profondément (T – C) et le ce-que-je-projetterai (A – C) demeurera l'univers subtil de mes valeurs, de ce que je suis.

Valeurs: somme de mes convictions très personnelles et intimes plus ou moins conscientes qui déterminent mon système de croyances (dimension spirituelle).

Attitude: prises de positions mentales par rapport à mon environnement (dimension mentale).

Comportement: partie visible de la personnalité, c'est l'ensemble de mes manières de faire et de réagir dans mes divers environnements (dimension physique) et en réaction d'adaptation à ces environnements. Il y a trois modes d'adaptation: la fuite, l'attaque et le compromis.

Les valeurs représentent la dimension spirituelle de l'être humain (l'âme, l'essence). Aujourd'hui, siècle de la technologie et de l'étourdissement électronique déifié, il est souvent mal vu et malvenu de parler de l'âme, et pourtant même les plus méfiants des technocrates nous parlent de l'âme d'un tableau, d'une architecture et d'un jardin. J'ai même entendu un comptable rationaliste scientifique me parler de l'âme de la science comptable. Pourquoi pas? En contrepartie, redonnons le droit à l'homme de ce siècle de croire qu'il a une âme.

À travers la tristesse solitaire et grouillante du Casino de Montréal, je découvre de pauvres gens qui jouent corps et âme: espérance fiévreuse et frénétique. Et quand un joueur se suicide parce qu'il a tout perdu, il a joué son âme. Face à l'épreuve, il a choisi la mort. Les valeurs, étant immatérielles, échappent au temps, à la maladie, à la mort; elles ont une pérennité par-delà l'individu. Elles peuvent être de tout ordre: spirituelles, morales, sociales, culturelles. Elles se divisent à nouveau en sous-groupes: valeurs familiales, valeurs professionnelles, valeurs personnelles. Comme le lierre rampant sur une pelouse, elles forment un treillis complexe et imprévisible (avec des pointes feuillues et fleuries ici et là, à travers le tapis régulier du gazon). Les valeurs ne sont pas la lumière de nos vies; elles en sont plutôt la luminosité qui colore, qui enlumine ici et là, jeux d'ombre et de lumière mouvant, fluide, insaisissable.

Se connaître ou mieux se comprendre ne peut pas consister à élaborer le bilan systématique de nos valeurs, mais plutôt à comprendre la dynamique entre nos valeurs globales, nos attitudes globales et nos comportements spécifiques. S'autoanalyser sans cesse pour atteindre le bonheur équivaut à disséquer une fleur en vue de vouloir mieux jouir de sa beauté. L'introspection profonde ne conduit pas automatiquement à la joie de vivre.

Le bonheur est constitué de quatre piliers: paix de l'esprit, sérénité, estime de soi et confiance en soi. Lorsque ceux-ci se développent, le bonheur (différent du plaisir) devient réalisable, avec des hauts et des bas, car la vie n'est tout de même pas une eau dormante et limpide.

Les quatre piliers du bonheur ne peuvent s'acquérir et se développer qu'à travers notre système de valeurs. Si nos valeurs s'abreuvent à l'insécurité, à la peur, à l'orgueil, nous développerons des valeurs teintées de méfiance, de repli sur soi, de dépendance, de soumission ou de domination. Quand nos valeurs se fondent sur la sécurité personnelle, la confiance, l'humilité, nous développons des valeurs de respect, d'ouverture, d'altruisme, de générosité, de partage et, à travers cela, le bonheur devient accessible.

Reprenant l'image du vaisseau spatial qu'est le coaching, ce que j'explore le plus profondément lors d'une séance, c'est le système de valeurs de la personne. Comment cela se passe-t-il? J'ai devant moi

Marie-Josée, chef comptable au siège social d'une entreprise phar-maceutique: trente-deux ans, extrêmement vive, enthousiaste, es-timée, mais un peu crainte par ses vingt-huit employés. Elle vient en coaching parce que, selon les dires, il paraît qu'elle est trop directe et parfois brutale dans ses communications: elle n'a pas «la langue dans sa poche».

Elle se justifie, s'explique, rationalise, puis, calmement, je lui demande: «Marie-Josée, vous, comment vous voyez-vous, profondé-ment?» En lui transmettant cette sérénité qui m'habite, elle me ré-pond qu'elle veut réussir. «Tu veux réussir quoi, Marie-Josée?» En quelques mots simples, elle se replonge dans son système de valeurs et je me rends compte que sa confiance en elle n'est qu'apparence. En réalité, elle est remplie de doutes, de craintes: crainte d'être mal jugée, d'être ignorée, peur de commettre une erreur qui la rendrait vulnérable.

À son tour, sa confiance en soi fragile cache profondément une estime de soi très basse, due au fait, il me semble, que toute jeune, son père l'appelait «Tom boy», son garçon manqué. Et elle a toujours eu conscience que son père désirait un garçon plutôt qu'une fille. Cet univers qui fut le sien a modélisé ses valeurs, et cela a créé une pres-sion énorme sur ses trois moi (profond, intime et social). Confiance en soi et estime de soi fragilisées, il est certain que les valeurs de Marie-Josée qui ont influencé et déterminé ses quatre piliers du bon-heur subissaient à leur tour une énorme pression venant de ces mêmes quatre piliers.

Voici les valeurs de Marie-Josée:

- «Je dois réussir...»
- «Si je réussis, je serai respectée et enviée.»
- «Pour réussir, je ne dois pas être vulnérable aux yeux des autres.»
- «La vulnérabilité, c'est le propre des faibles.»
- «Les femmes sont perçues comme vulnérables et moi je ne le serai pas.»
- «Je trouverai bien un homme qui n'aura pas peur de ma force.»

Un tel système de valeurs, illustré par ces quelques éléments, est plein de pièges et de dangers pour l'atteinte du bonheur per-sonnel. Marie-Josée, à la limite, avec sa vision intérieure (système de valeurs) risquera de devenir amoureuse d'un homme faible et doux, admirateur gentil et dévoué qu'elle trouvera ennuyant quelques an-nées plus tard. Marie-Josée, la forte, la responsable, l'organisée, aimera son contraire, un homme fragile qui a besoin de protection, un «bébé» de 100 kg (220 lb) et de... dépendance!

Le cas de Marie-Josée montre que nos valeurs, comme l'oxygène dans l'eau, comme l'eau dans la plante, inondent et baignent toute notre personnalité, en demeurant immatérielles et insaisissables, la plupart du temps.

Marie-Josée s'est mariée depuis, elle appelle son mari «mon gros nounours» et il l'admire passionnément. Sont-ils heureux? Pourquoi pas! Le bonheur, souvent, ne se saisit pas à pleines mains, mais se prend par petites bouchées, ici et là. Marie-Josée travaille fort, elle réussit, elle a l'estime de tous. Son «nounours» excelle au tennis, au golf, il ne lui fait pas de misère. Et un jour, à l'image de la vie, de toutes nos vies, l'épreuve, l'éveil, la transformation: un nouveau départ.

LES ATTITUDES

Les attitudes, partie invisible de l'être, sont la somme des *dispositions* et des *positions* mentales que j'adopte consciemment face à mon univers. Face au racisme, je crois avoir une attitude d'ouverture aux ethnies et, un jour, ma fille m'apprend que son ami de cœur est un Noir. Aurai-je la même attitude d'ouverture ou aurai-je l'attitude du «pas dans ma cour»?

Ma fille m'apprend que ce Noir est le fils d'un grand prince africain. Ah! subtilement, je reviens à ma soi-disant «ouverture aux races»! En réalité, ce peut être mon attitude de parvenu face au prestige qui fait surface. Comment savoir? Je peux rejeter ce garçon parce que personne n'est assez bien pour ma fille et là, c'est une attitude de possessivité qui s'exprime; sous le couvert de l'amour d'un père, c'est mon propre amour qui s'exprime: «J'ai tout sacrifié pour elle (attitude de victime), il est normal qu'elle me respecte (attitude agressive)!»

Voyez-vous de quelle façon l'attitude effleurant la surface de l'être pousse ses racines dans les eaux troubles ou limpides de nos valeurs profondes? Ceci pour exprimer que nos attitudes se nourrissent à nos valeurs et, à leur tour, nos attitudes influencent nos actes, nos comportements de tous les instants. C'est une réaction en chaîne.

Voici quelques illustrations de l'univers intérieur des attitudes effleurant la surface de notre être: attitude agressive, repliée, soumise, hautaine, sournoise, méfiante, chaleureuse, compréhensive, conciliante... On pourrait en compter des centaines et *ce qui peut paraître peut ne pas être:* une attitude hautaine cache souvent une timidité; une attitude agressive cache souvent une grande peur; une attitude trop généreuse peut cacher un trop grand besoin d'être aimé; une attitude soumise peut cacher une grande agressivité (l'attitude des tueurs pathologiques qui «ne feraient pas de mal à une mouche»).

Nos attitudes résultent de nos valeurs, et nos valeurs influen-cent constamment nos attitudes. Marie-Josée avait en elle la valeur: «Je dois être appréciée.» L'attitude résultante: elle appréciait ceux qui la flattaient et la valorisaient, et percevait les gens critiques comme des adversaires. Cette attitude influencera continuellement les comportements de Marie-Josée vis-à-vis de ses collègues, de ses employés et de son cercle d'amis.

À l'instar de nos valeurs, nos attitudes sont une masse de posi-tions et de dispositions mentales influencées par nos valeurs. Les at-titudes, pour reprendre l'exemple du lierre rampant dans une pelouse, sont la partie végétale visible qui émerge du gazon, alors que le tempérament, le caractère et les valeurs en sont les parties enfouies dans le sol (tempérament), au ras du sol (caractère) et les orientations (valeurs) que les différentes tiges rampantes prennent en fonction de la nature du sol, des obstacles, de l'humidité, de l'ombre, de la lumière (environnement).

LES COMPORTEMENTS

On en arrive ainsi, dans notre exploration planétaire d'une vie humaine, à la partie visible, quantifiable et mesurable de la personnalité: les comportements.

Les comportements, c'est la somme des actions, des réactions, des paroles, des gestes observables par les autres. Ce que je suis devient ce que je fais. «Comporte-toi bien!» «Aie des comportements plus chaleureux.» «Il s'est bien comporté en voyage.» Ces phrases entendues depuis l'enfance font référence à la partie de nous que les autres voient et jugent. Le ce-que-je-suis, dans mes comportements devient le ce-que-les-autres-voient. Toute la dynamique des relations entre les humains repose sur ce phénomène de projection de ce que je suis et de perception par les autres du ce-que-je-fais qui cache le ce-que-je-suis. Les autres me voient nécessairement (inévitablement) à travers ce qu'ils sont. Un collègue dévoré par les quatre dragons (ÉMOI: égoïsme, méfiance, orgueil, insécurité) n'interprétera pas une situation de la même façon qu'un collègue bienveillant habité par les quatre anges: charité, humilité, espérance, foi (CHEF).

Regardons cela du point de vue de l'observateur. Un collègue très méfiant et anxieux que je salue chaleureusement le matin peut penser que je veux me moquer de lui. Si je ne le salue pas, par oubli ou par distraction, il peut penser que je le déteste et, de peur d'être en reste, il s'empresse de revoir tous mes comportements pour arriver à justifier son «besoin» de me détester. Sa perception criblera à la vitesse de l'éclair tous mes comportements récents pour ne retenir que les angles précis qui permettront de nourrir son besoin compulsif de m'en vouloir. Je l'ai ignoré hier, j'ai souri sans raison apparente quand il parlait. Mon sourire chaleureux deviendra pour lui un sourire méprisant; un salut amical à un autre sera interprété par lui comme un mépris excessif envers sa personne.

À l'adolescence, n'avons-nous pas tous éprouvé ces sentiments déchirants et contradictoires qui cachent une peur du rejet, un grand besoin d'être aimé, une estime ou une image de soi fragile? À cette étape de la vie, ce sont des phénomènes normaux de croissance et de développement. À trente, quarante, cinquante ans, ces perceptions biaisées, tordues sont inquiétantes. Elles deviennent de grands obstacles au simple bonheur: «Bienheureux les simples en esprit.»

Les comportements simples à observer exigent un œil exceptionnel pour interpréter le sens réel, le sens caché. Les comportements, expression sociale et visible de ce que nous sommes, peuvent souvent signifier tout à fait autre chose. Une personne anxieuse pourra adopter des comportements agressifs ou de suffisance pour camoufler son insécurité, et ce, à un point tel qu'elle devient inconsciente de son insécurité. Un égoïste pourra agir en altruiste pour se masquer; un jaloux possessif jouera souvent la grande scène du mari ouvert aux relations libres, mais dans son for intérieur, seulement si c'est libre de son côté à lui. Pensez à tous ces machos qui concoctent les plus beaux discours pour démontrer aux femmes qu'ils «ne sont pas machos comme les autres».

Nos comportements, par effet de compensation (l'un des onze mécanismes de défense), servent souvent à cacher et à nous cacher ce que nous sommes profondément (moi profond, moi intime). L'être humain en paix avec lui-même, équilibré, serein, aura toujours des comportements conformes à ses attitudes et à ses valeurs. On dira de lui qu'il est en harmonie avec lui-même, ses actes reflètent ce qu'il est, et ce qu'il est se reflète dans ses actes.

«Ce que nous sommes parle plus fort que ce que nous disons.» Ce dicton traduit très bien que la non-cohérence entre ce que nous sommes et ce que nous disons est visible aux yeux des autres. Le jeune enfant de quatre ou cinq ans ressent ou perçoit facilement lorsqu'il y a incohérence entre ce que nous lui enseignons, ce que nous faisons et ce que nous sommes profondément.

J'ai souvent vu des parents hautains ou snobs qui enseignent à leur enfant l'importance d'aimer tout le monde... même les pauvres. Cet enfant acquiert plus rapidement et plus profondément le snobisme de ses parents qu'il n'acquiert l'amour du démuni. Pour l'enfant, ce que nous sommes parle plus fort que ce que nous disons. Nos valeurs et nos attitudes qui sont ressenties et perçues par le jeune enfant laissent une impression plus profonde que les comportements qui sont simplement observés par celui-ci.

Cette dynamique de perception demeure vraie à tout âge. Le patron orgueilleux et égoïste qui prêche l'altruisme et la bonne entente à ses subordonnés ne dupera personne d'autre que lui-même. On peut vraiment dire qu'il est un aveugle qui prêche à des sourds dans le désert.

Nos comportements, à la surface de notre personnalité, le surmoi, font l'objet d'un dialogue constant et semi-conscient avec le monde des valeurs (moi profond) et des attitudes (moi intime). Pensez à cet état de dialogue qui s'établit pendant les heures qui suivent un souper amical. Vous vous revoyez, vous revoyez les gens à tel moment, telle scène avant le repas, les échanges au souper. Vous évaluez vos commentaires, vos comportements, ceux des autres, vous essayez d'imaginer leurs vraies intentions. Vous en discutez avec votre conjoint. Vous justifiez telle petite gaffe que vous avez faite, telle blague piquante.

Cet état de dialogue en nous et avec soi-même est presque permanent et, dans un contexte social nouveau, il est décuplé. Pensez à toute la réflexion que vous vous faites après votre première semaine dans un nouvel emploi. Vous appelez même vos amis pour leur décrire le détail de vos allées et venues. Dans cet état de conscience intense, nos pensées, notre imagination, notre intuition, notre intellect, tout ce que nous sommes se met au travail; valeurs, attitudes, comportements s'entrechoquent, modifiant de façon subtile nos valeurs, nos attitudes et nos comportements.

Nous avons dit que la maturité a deux composantes: l'équilibre intérieur et l'adaptation à l'environnement. Ces dialogues intérieurs illustrent cette tentative de s'adapter à l'environnement par nos comportements, tout en cherchant à maintenir notre équilibre intérieur. Cette double recherche d'équilibre et d'adaptation porte en philosophie le joli nom d'homéostasie, ce qui signifie: état (*stasis*) d'équilibre (*homéo*).

Les trois zones du moi, formant l'essence même de l'homme, s'influencent, exerçant une pression continue l'une sur l'autre; pas de frontières nettes entre le moi profond, le moi intime et le surmoi. Personne, personnalité et personnage forment un tout cohérent, complexe, intelligible. Le célèbre «Connais-toi toi-même» invitait l'homme à la recherche du sens de l'univers, à réaliser que sa personne était déjà un univers en soi. Cette maxime indique surtout que l'homme ne peut découvrir l'univers et son environnement qu'à travers ses propres sens, ceux-ci étant conditionnés par ce qu'il est, ce qu'il pense, ce qu'il veut et ce qu'il veut être.

La conséquence de cette spécificité de la nature humaine est fort simple: quelqu'un dont les trois zones du moi sont déséquilibrées aura une vision déséquilibrée de son environnement. La distorsion de son environnement sera directement proportionnelle à sa propre distorsion personnelle.

Chaque être humain est doté de mécanismes de défense qui protègent le moi profond et le moi intime. À la surface, le moi social (le surmoi) a également son propre système de protection que nous appelons les mécanismes de tamisage. Mécanismes de tamisage et mécanismes de défense, systèmes de défense simples, mais très efficaces qui protègent l'intégrité psychologique de chaque être humain.

Pour illustrer et pour nuancer ces notions quelque peu difficiles de valeur, d'attitude et de comportement, voici un petit poème sur un profil psychologique que nous voyons fréquemment, le «parasite». Amusez-vous à trouver les valeurs, les attitudes et les comportements du parasite. Si vous le voulez, vous pouvez également en profiter pour vous demander s'il n'y a pas l'un de ces êtres «charmants» dans votre entourage.

LES PARASITES

Gentils, charmants,
Flatteurs, vulnérables,
Ils nous font pitié,
Les parasites.

Les yeux mouillés,
Les gestes gauches,
Tous leurs malheurs
Ils nous racontent,
Les parasites.

Grands enfants
Qui n'ont pas grandi,
Qui ne veulent pas grandir,
Pourtant on veut les aider,
Les parasites.

Son épouse d'arrache-cœur
Gagne les sous,
S'occupe des poupons.
Il pense à sa vocation,
Le parasite.

Maître dans l'art
De se montrer vulnérable,
De se croire victime,
De se dire incompris,
Il est né pour un grand destin,
Le parasite.

Il est philosophe-poète,
Il est Einstein,
Il est Bernstein
Et Mozart
Tout à la fois,
L'incompris.

Il pompe votre air.
Il pompe votre vie.
Il pompe vos émotions.

Le Grand Incompris.
Rémora de votre âme,
Le parasite.

LES MÉCANISMES DE TAMISAGE

Les mécanismes de tamisage forment la couche la plus extérieure de notre personnalité; ils y sont en périphérie. Ils sont un phénomène de perception relié à nos cinq sens. Je vois un chien, je me souviens d'avoir déjà été mordu par un chien semblable. Instantanément, je ressens un danger potentiel; mon corps se fige ou se raidit et je m'enfuis: perception, réaction, adaptation.

Les mécanismes de tamisage, contrairement aux mécanismes de défense, sont une perception immédiate, passive, non rationnelle et émotive d'un stimulus dans l'environnement. Une femme a un rendez-vous galant avec un inconnu. Au téléphone, il avait une voix profonde et douce qu'elle percevait rassurante, invitante. Elle se construisait une vision de cet inconnu. Arrivée au rendez-vous, pour une raison peu claire, elle ressent instantanément une déception, une envie de s'en aller... et elle ne le connaît pas encore. Que s'est-il passé? Simplement cela: à partir de sa voix, elle avait construit un modèle idéal par rapport à ses besoins, à ses valeurs, à ses attentes. Dès le premier contact, ses mécanismes de tamisage ont immédiatement capté tout, absolument tout ce qui contredisait l'idéal.

Lors de rendez-vous surprises (*blind date*), ce phénomène des mécanismes de tamisage est beaucoup plus actif et réel que ne l'est la découverte de l'amour. C'est pourquoi, généralement, ces rendez-vous créent plus de désillusions que de mariages. La rencontre de deux étrangers dans un restaurant active *a priori* tous les mécanismes de tamisage avant même de faire bouger le cœur.

La perception humaine a cinq caractéristiques universelles: elle est instantanée, spontanée, généralisatrice, subjective, émotive. Les mécanismes de tamisage, accolés à la perception immédiate, ont donc cinq caractéristiques. J'attends un client, un directeur de banque. J'anticipe un profil déterminé: costume bleu à rayures, cravate à la mode, allure sévère mais chaleureuse, homme athlétique dans la quarantaine, bien conservé. On sonne. Entre un jeune chevelu dans la trentaine, chemise à col ouvert, style très relax. Mes mécanismes de tamisage ne font qu'un tour.

Einstein créait cette impression lors de prestigieuses conférences scientifiques. Les aristocrates du savoir attendaient un homme austère en redingote. Il entrait, l'air perdu, pantalons froissés, souvent portant une simple chemise à carreaux. Les mécanismes de tamisage de la foule s'entrechoquaient. L'humilité, la simplicité, la bonté et l'humour d'Einstein, au-delà de tous les mécanismes, conquéraient les cœurs et parfois même... les esprits de ses détracteurs.

Je cite Einstein parce que la simplicité, la bienveillance, l'humilité, la bonté seront toujours les armes les plus efficaces pour percer les mécanismes de tamisage et pour pénétrer le cœur (moi intime) des gens, au-delà du surmoi préoccupé de chacun. Charité, humilité, espérance et foi (CHEF) versus égoïsme, méfiance, orgueil et insécurité (ÉMOI) offrent un choix de vie, une manière d'être. Einstein illustre, d'après moi, la manière de vivre selon CHEF et Hitler, selon ÉMOI.

Le phénomène des mécanismes de tamisage est l'un des plus utilisés par les experts de la mise en marché, de la publicité et de la vente. Ils s'en servent pour inciter les jeunes à fumer, pour convaincre les gens âgés de prendre tel ou tel médicament, pour nous encourager à changer fréquemment de voiture. Les loteries en sont le plus parfait exemple: elles nous montrent quelques gagnants qui représentent monsieur Tout-le-monde, mais ils ont gagné, ils cessent d'être anonymes et je m'identifie directement à eux, avant le gain et après le gain, tout cela en quelques secondes, en regardant leur photo dans les journaux du lundi.

En fait, la publicité utilise les mécanismes de tamisage en les exacerbant ou en les contournant pour pénétrer le système de valeurs du consommateur et pour enclencher son désir d'achat. La répétition massive d'un même mensonge n'en fait pas une vérité, mais obtient l'effet de convaincre, de lever les mécanismes de tamisage.

La publicité utilise tout un arsenal psychologique pour vendre gadgets et bidules, et les loteries, à ce titre, en sont les champions. Plus le mensonge est énorme et plus ils le répètent. La devise des

publicitaires est simple: «Un mensonge mille fois répété devient vérité.» Tout cela pour paralyser nos mécanismes de tamisage.

Les mécanismes de tamisage à la surface du surmoi n'ont pas la
fonction première de protéger le surmoi, mais de faciliter la socialisation, l'intégration de la personne dans son environnement. Pensons
à ces slogans publicitaires: «Tout le monde le fait. Fais-le donc!» ou
cet autre: «Il faut être de son temps!» ou encore: «Il faut être dans la
gang!» Toute la publicité automobile nous harcèle d'images de
succès, de réussite, d'envie du voisin. Il est indéniable qu'une Honda
devant un château illuminé, entourée de quelques femmes du
monde et d'un conducteur en smoking paraît plus belle, plus riche,
plus puissante (performante). On oublie momentanément que la
Honda ne vient pas avec tout ce décor, seulement avec l'emprunt
bancaire, et que tous les suppléments montrés à la télévision et qu'on
nous fait miroiter sont... en sus.

La socialisation de nos actes doit se faire dans le respect de
notre équilibre intérieur, sinon nous nous dépossédons de ce qu'il y a
de plus précieux en nous, notre moi profond et notre moi intime, et
nous devenons superficiels. Quel bonheur peut m'apporter une
BMW si je suis obligé de m'astreindre à la payer pendant cinq ans en
me privant d'autres plaisirs simples et immédiats? Le surmoi, le personnage, ne doit pas se nourrir au détriment du moi intime.

Le bonheur est fonction de l'écart entre nos aspirations et nos
réalisations. Quand nos aspirations sont irréalisables, le bonheur ne
peut être atteint, nous nous condamnons nous-mêmes à la frustration, à l'anxiété et à la désillusion. Tâchons donc d'avoir des aspirations réalistes, donc réalisables. Débusquons nos propres illusions:
désir inutile de gloire, de reconnaissance, de réussites grandioses, de
posséder deux autos, deux maisons. Délestons-nous même du sentiment qu'il faut avoir raison, qu'il faut convaincre les autres, qu'il faut
prouver notre point. Rappelons-nous que l'homme n'a que trois besoins essentiels: aimer, créer et comprendre.

La plupart du temps en coaching, la plus grande partie du travail consiste à aider un client à décoder l'univers complexe et fragile
de ses illusions. Le client veut une promotion, un meilleur salaire,
l'admiration de son entourage, être le plus grand expert de l'entreprise. Il veut..., il veut... Le bonheur exige une âme simple. Souvent,
les esprits complexes ont beaucoup de complexes.

Après une dizaine d'heures de coaching, le client voit la réalité
telle qu'elle est, il aspire à des choses plus simples, plus immédiates,

plus près de sa réalité fondamentale. Cela provoque même, et ce, de façon observable, une paix en lui, une détente, une sérénité, comme si on lui enlevait un immense poids sur ses épaules. Eh oui, beaucoup de gens se condamnent eux-mêmes à être Sisyphe*. Je dis souvent à mes clients qu'ils doivent apprendre à être des «paresseux scientifiques», c'est-à-dire qu'ils doivent apprendre à faire bien et mieux l'essentiel, une première fois. Ils doivent éviter de créer de la confusion en eux et autour d'eux. Ils doivent apprendre à travailler avec leurs pairs, plutôt que d'être en compétition avec eux. Ils doivent apprendre à jouir du moment présent, à apprécier leur journée de travail, à apprécier leurs employés et leurs supérieurs. Ils doivent apprendre à voir les convergences plutôt que de toujours voir les divergences.

En somme, les mécanismes de tamisage permettent une adaptation immédiate à ce que je perçois de mon environnement immédiat et direct. Ils forment le premier filtre vis-à-vis de tout stimulus nouveau et inattendu de ma part. Un exemple: je vois un homme grand et costaud et je m'attends à ce qu'il ait une voix profonde et grave. Si, au contraire, il a une voix haute et aiguë, mes mécanismes de tamisage réagissent et je réajuste ma perception ou mes comportements, voire mes attitudes vis-à-vis de cette personne.

---

*   Roi légendaire de Corinthe condamné à rouler un rocher en haut d'une montagne et qui retombe toujours... Il doit recommencer sans fin.

LES MÉCANISMES DE DÉFENSE

Le moi social (surmoi) est protégé et adaptable grâce à ses méca-nismes de tamisage qui ont cinq caractéristiques: instantanés, spon-tanés, généralisateurs, subjectifs et émotifs... tout comme la perception humaine.

Le moi intime (ego) et le moi profond (moi), partie beaucoup plus riche qui définit notre essence, ont aussi leurs mécanismes de protection et d'adaptation: les mécanismes de défense.

Je me contenterai ici de parler du rôle des mécanismes de dé-fense dans la dynamique de la personnalité et d'offrir une nomencla-ture de ces mécanismes accompagnée d'une brève définition.

RÔLE DES MÉCANISMES DE DÉFENSE

De façon purement empirique, il est assez facile de situer les méca-nismes de défense au niveau de la couche périphérique du moi in-time, protégeant à la fois le moi profond et le moi intime (personne et personnalité).

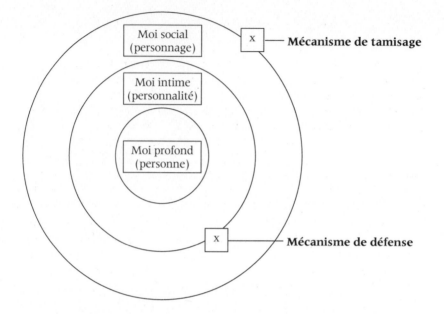

Le rôle premier des mécanismes de défense n'est pas, contrairement à ce que le nom indique, un rôle premier de défense, mais bien
un rôle primordial d'adaptation et d'ajustement de la personnalité à
l'environnement; adaptation et ajustement en vue de créer et de recréer constamment le fragile équilibre entre s'adapter à l'environnement tout en conservant un équilibre intérieur entre mes trois moi.

L'un des mécanismes de défense, l'identification, fait intégrale-
ment partie du processus d'apprentissage chez l'enfant de trois à
sept ans. Cet enfant s'identifiera à son père, ou à sa mère, ou à son
frère aîné. Si cet enfant s'identifie à Batman, il peut s'élancer en bas
d'un balcon, en étant sûr de voler (le cas s'est produit à New York). Si
cet enfant, à quarante ans, s'identifie encore à son père ou à sa mère,
cela devient un cas de pathologie. Le chef-d'œuvre de Hitchcock, *Psy-
chose*, l'illustre parfaitement.

D'autres mécanismes de défense tout à fait normaux chez l'enfant en phase de socialisation sont l'introjection, la projection et la
rationalisation. Si ce même enfant intériorise en lui des valeurs positives familiales et sociales, tout ira bien. Par contre, ce même enfant,
élevé dans un milieu familial dévalorisant, intériorisera en lui des valeurs telles que l'agressivité, la violence, la colère impuissante, la
force brute, et il projettera ces valeurs sur son entourage. Il donnera
des coups à ses camarades, il en recevra en retour et il rationalisera

en concluant: «Heureusement que je frappe le premier, sinon il n'y a que moi qui recevrais des coups.»

Chez l'adulte, ces mécanismes permettent l'adaptation et l'ajustement de façon constante, face aux multiples agressions quotidiennes de l'environnement. Le manque d'adaptation, à la suite d'un refus ou d'une incapacité, amènera l'individu à la phase de rejet par son environnement. Il sombrera dès lors dans la soumission passive ou il se révoltera, selon la nature de son propre tempérament. En revanche, son environnement l'exclura de plus en plus; en conséquence, sa passivité ou sa révolte grandira jusqu'à l'atteinte d'un point de non-retour: l'éclatement. L'éclatement (SAR/AH) provoquera peut-être le réveil et la transformation ou l'anéantissement.

Que nous vivions selon ÉMOI ou selon CHEF, nous avons tous le même arsenal de mécanismes de défense. Dans le premier cas (ÉMOI), les mécanismes seront constamment sollicités, ils demeureront tendus plus longtemps et vis-à-vis beaucoup plus de situations potentielles que dans le second cas (CHEF).

Ces mécanismes d'ajustement requièrent beaucoup d'énergie nerveuse, cérébrale, émotive et physique. On peut en conclure que l'individu prisonnier de son ÉMOI dévore une énergie énorme à se protéger, sans réussir à s'ajuster. C'est pourquoi j'appelle l'ÉMOI un draineur d'énergie.

D'autre part, la personne sereine (CHEF), face aux agressions de la vie, s'énergise au contact des difficultés, car elle se branchera plus spontanément à ce qu'il y a d'essentiel et de central en elle: ses valeurs, ses attitudes, ses moi profond et intime.

Pensons à nos grands-mères qui, avec huit ou dix enfants et parfois plus, avaient une vie plus saine, plus sereine et plus heureuse que la mère monoparentale avec un enfant et une pension. Souvent, nos mères de famille nombreuse avaient le courage et l'énergie des géants: elles étaient trop occupées pour être préoccupées.

J'ai souvent noté que l'angoisse frappe les désœuvrés et les superoccupés: dans les deux cas, ces gens ont peur de penser et de réfléchir sur eux-mêmes et fuient leur réalité dans la passivité ou dans l'agitation.

Les mécanismes de défense et les mécanismes de tamisage sont toujours en éveil, prêts à intervenir, face à tout stimulus menaçant ou incohérent par rapport à nos schèmes acquis. N'est-ce pas le propre de l'univers? Tout bouge, tout change, rien n'est stable ou permanent. Citons à ce sujet la jolie phrase d'Einstein: «La vie, c'est comme une bicyclette, il faut avancer pour garder son équilibre.»

(Denis Brian, *Einstein*, *A Life*, John Wiley & Sons, Inc., 1996, p. 146, trad. libre.)

À travers cette dynamique perpétuelle, ce dialogue mystérieux entre nos trois moi et nos mécanismes d'ajustement (défense et tamisage), les bruits, les gestes et les paroles des autres deviennent l'écho déformé ou fidèle de ce que nous sommes.

L'écho de ce que nous sommes: nous percevons l'environnement, nous l'interprétons correctement ou non, puis nous nous y adaptons adéquatement ou non. À ce sujet, je suis encore surpris de voir à quel point les cadres d'entreprises ont une perception faussée de ce que pense d'eux leur entourage. Ce vice-président qui me dit que sa grande force, c'est l'écoute des autres, alors qu'on se prépare à le congédier parce qu'il n'écoute absolument personne. Cet autre qui me parle de son leadership exceptionnel, alors que plus personne ne veut travailler avec lui.

Comment expliquer cela? Chacun a besoin d'avoir une opinion positive de lui-même, et plus l'individu est brillant, plus il utilisera son arsenal de mécanismes de défense pour se prouver que «son cauchemar, c'est du caviar»: tentation de l'illusion.

Les mécanismes de défense sont là pour protéger les moi profond et intime et pour permettre leur adaptation pour un meilleur équilibre. Seuls ceux qui conservent une faculté d'autocritique sauront échapper aux illusions construites.

DÉFINITION DES MÉCANISMES DE DÉFENSE

Il n'est pas essentiel de connaître tous les mécanismes de défense pour mener une vie heureuse; j'en donne quand même une brève définition et un exemple pour les mordus de psychologie et aussi pour exprimer toute la beauté de l'esprit humain dans sa complexité. Allons-y du plus simple au plus complexe.

1. Négation: négation obstinée d'une évidence; mécanisme normal chez l'enfant de trois ans: la phase du non.
   Exemple: «Bois ton jus d'orange.» «Non!»
2. Projection: fait d'attribuer l'un de nos défauts ou l'une de nos faiblesses aux autres.
   Exemple: le snob voit des snobs partout; le menteur pense toujours qu'on lui ment.
3. Introjection: fait d'assimiler ou de nous attribuer une qualité ou un acte que nous admirons chez un autre.

Exemple: j'admire le style fonceur de mon patron et je me prends pour un fonceur, comme lui. (Mécanisme fréquent chez les timides et les passifs.)

4. Déni: fait de nier sciemment et avec acharnement tout un aspect de la réalité qui nous déplaît.
   Exemple: l'alcoolique qui nie à lui-même et à tous les autres la réalité de son problème.

5. Rationalisation: fait de justifier de façon exclusivement rationnelle un acte, en déniant nos émotions vraies.
   Exemple: un cadre est congédié et il m'explique et me démontre froidement que, de toute façon, il voulait quitter cette entreprise indigne de sa compétence.

6. Identification: fait de s'identifier personnellement et totalement à quelqu'un que nous admirons.
   Exemple: l'enfant qui s'identifie à Batman, son héros. Le subordonné qui s'identifie au patron: il imite ses gestes, son ton de voix, son style, ses valeurs.

7. Détachement: négation de nos émotions pour éviter toute souffrance émotionnelle.
   Exemples: «Je suis rationnel, moi, monsieur.»
   «Je suis logique, moi.»
   «J'ai horreur des pleurnichages.»
   «Il faut se contrôler, quoi.»

8. Formation réactionnelle: fait de prêcher haut et fort et de dénoncer chez les autres ce qui nous fait envie.
   Exemple: le nouveau non-fumeur qui a gardé le goût de fumer va systématiquement attaquer les fumeurs; celui qui rêve d'être patron et qui n'a pas été choisi dénoncera avec virulence les patrons.

9. Sublimation: fait de transformer un désir ou un rêve inaccessible en une activité noble.
   Exemple: celui-ci rêvait d'être pilote d'avion ou de course automobile. Devenu adulte, il collectionne les modèles d'avions et de voitures de course.

10. Transfert: fait de ne pas assumer notre réalité propre en attribuant tous nos malheurs aux autres (la société, la compagnie, mon père, ma mère, mon conjoint...) et en nous laissant prendre en charge par d'autres.
    Exemple: la personne qui se laisse totalement prendre en charge par un thérapeute. Elle ne fait plus rien sans le consulter: «Que

me suggérerait-il? Que ferait-il à ma place?» Les sectes sont remplies de gens désemparés en phase de transfert.

11. Refoulement: fait d'oblitérer complètement, et même sur le plan de l'inconscient, des périodes complètes de notre vie.

Exemple: la petite fille maltraitée sexuellement par un oncle qui, plus tard, ressent une répulsion instinctive à l'égard des hommes.

Entre reconnaître les mécanismes de défense et comprendre la nature humaine, la marche est vraiment très haute. Entre comprendre la nature humaine et se comprendre soi-même, elle est infiniment plus haute.

PARTIE III

LES TROIS
BESOINS UNIVERSELS:
AIMER, CRÉER
ET COMPRENDRE

AIMER, CRÉER ET COMPRENDRE

La connaissance de soi conduit à la compréhension de soi. La compréhension de la réalité des trois besoins universels de l'humain – aimer, créer et comprendre – favorise grandement cette découverte, cette compréhension, et plus on se comprend, plus on se libère, plus on atteint la paix.

L'être humain, dans sa quête du bonheur, cherchera toujours, comme il le fait depuis ses origines, à combler ses besoins fondamentaux d'aimer, de créer et de comprendre. L'équilibre de ces trois besoins procure la paix de l'esprit, la sérénité, le détachement et la capacité d'apprécier: les quatre piliers du bonheur.

Face à une menace ou simplement au nouveau, à l'inattendu, à l'inconnu, les mécanismes de tamisage et de défense d'un individu sont en alerte. Pourquoi? Parce que l'instinct incompressible de maintenir l'équilibre est déjà atteint, d'où l'expression très connue: résistance au changement.

Pour maintenir cet équilibre précaire, chaque personne dispose de l'arsenal des mécanismes de défense et de tamisage. Ce qui m'apparaît extraordinaire, c'est le fait qu'un être déséquilibré cherche lui aussi à maintenir cet équilibre. En corollaire, plus un individu a atteint la maturité, l'équilibre de ses trois moi, plus il se montre ouvert et réceptif à se transformer pour un plus grand équilibre encore. Je constate cela tous les jours chez mes clients en coaching.

Ce phénomène de résistance au changement, encore très mal connu en psychologie, me rappelle l'exemple du mauvais skieur qui refuse de changer ses habitudes, alors qu'un bien meilleur skieur se montrera toujours ouvert à l'amélioration: le mauvais tend à rester mauvais et le meilleur tend à devenir meilleur. C'est peut-être le même phénomène concernant le développement de la personne, sauf qu'un SAR/AH peut faire des miracles: il peut enclencher un processus de transformation malgré soi, comme nous l'avons vu.

En chacun de nous, il y a un état de dialogue constant entre les trois moi, entre nos trois besoins: le moi profond et son besoin d'aimer, le moi intime et son besoin de créer et le moi social et son besoin de comprendre. Cet état de dialogue déterminera nos désirs, nos besoins, nos actes, et influencera nos valeurs, nos attitudes en retour. C'est à travers ces mouvements, ces dialogues qu'évolue l'être humain.

AIMER

Le besoin d'aimer et d'être aimé sont indissociables. Celui qui est frustré de l'un se frustre automatiquement de l'autre. Celui qui ne s'aime pas se refusera à aimer; celui qui refuse d'aimer ne pourra pas s'aimer en retour: avers et revers d'une même médaille.

Il s'agit tout d'abord de l'amour envers les personnes, les êtres, mais il s'étend également à tous les êtres, à toute la nature. Quelle triste vie qu'une vie sans amour: les limbes, sinon l'enfer! Aimer est un besoin inhérent, inséparable du moi profond. À la naissance, le moi profond a déjà une forme, le tempérament. Il manifeste déjà ce besoin: être aimé... pour aimer. Le besoin d'amour chez le jeune enfant se manifeste par le besoin de sécurité, de tendresse, d'affection, de chaleur humaine, de convivialité, de douceur.

Au nouveau-né, il ne suffit pas qu'on lui donne le biberon pour qu'il apprenne l'amour. Il faut le lui donner avec amour, tendresse, affection, chaleur, douceur et... lenteur. En ce siècle si rapide et si organisé, il est vrai que la vitesse tue... l'amour.

En regardant les couples qui travaillent pour améliorer leur niveau de vie, s'échinant entre les cellulaires, la garderie et leurs bureaux, leurs cercles de relations, leurs soirées obligées, je me dis: «Est-ce cela la richesse?» Pauvreté des cœurs! Et pourtant, nous avons tous le choix. L'amour ou le «glamour». Je regarde ces enfants de milieux aisés et je les appelle en mon cœur les «orphelins du confort».

Aimer et être aimé. Le travailleur, la travailleuse, à leur bureau, à leur usine, n'abandonnent pas ce besoin à la guérite le matin. Ce besoin pourrait être tellement comblé facilement au travail. Un bonjour gentil, un sourire bienveillant, une écoute respectueuse et patiente, un intérêt sincère pour la personne, un mot d'encouragement, une compréhension généreuse. Voilà ce qui semble avoir été dévoré par l'efficacité, le rendement, l'objectif, le résultat! Dès lors, la peur remplace l'amour et la peur réveille tous les mécanismes de défense qui deviennent vite des mécanismes de survie. L'entreprise n'y gagne absolument rien.

Dans une entreprise financière que je connais, sur trois cents employés en production, cinquante-neuf personnes effectuaient des contrôles à temps plein, pour éviter les erreurs, les fraudes, les vols. Cette entreprise s'est fait voler plusieurs centaines de milliers de dollars pendant des années, avec une sous-productivité flagrante. Les contrôleurs surveillaient tout le monde, tout le monde surveillait tout le monde. Le climat était pourri: méfiance, clans, cliques, dénonciations, délation, peur... et l'argent sortait par les fenêtres (cas très réel).

Ce que j'ai constaté dans cette entreprise: aucune confiance, aucune gentillesse, aucune bienveillance, aucune tolérance, aucun dialogue, aucun échange. La peur, la méfiance, la délation, la jalousie, les cliques et... l'argent qui s'envolait par les fenêtres.

Le lien entre l'amour et cet exemple est simple. L'amour aurait conduit les dirigeants à parler aux gens, à écouter, à entendre, à comprendre, à chercher des solutions ensemble plutôt qu'à imposer des «pansements» sécurisants à partir de modèles informatiques perfectionnés.

J'enseigne aux cadres à mieux communiquer. Il existe un arsenal de techniques sophistiquées, efficaces et respectueuses de l'individu, mais si le cadre n'a pas en lui un minimum d'amour (altruisme, respect, générosité, etc.), toutes ces techniques deviendront de la manipulation entre ses mains.

En coaching, si je ne sens pas qu'un client a en lui l'amour des gens, je ne lui fournis pas de techniques élaborées de gestion de la communication. Il doit d'abord apprendre ou réapprendre à découvrir les attitudes de base de gestion de l'humain, le respect, la confiance, l'interdépendance, le sens du risque, le souci (goût) de la vérité.

Gérer peut être passionnant pour celui qui a la passion en lui. Pour les autres, cela devient une course à l'avancement. C'est là le drame majeur de nos entreprises. Trop de cadres agissent en fonction de la promotion plutôt qu'en fonction des besoins de leurs employés et de l'organisation. Les cadres augmenteraient de beaucoup leur bonheur et leur bien-être ainsi que ceux de leurs employés s'ils